vivre avec son anxiété

Éditeurs:
LES ÉDITIONS LA PRESSE, LTÉE
7, rue Saint-Jacques
Montréal H2Y 1K9

Maquette de la couverture:
JEAN PROVENCHER

Maquette générale:
LUCILE LAROSE

Tous droits réservés:
LIVING WITH FEAR
©Copyright 1978 Isaac M. Marks, M.D., D.P.M.

Publié en français avec l'autorisation
de Mc Graw-Hill Book Co., New York

LES ÉDITIONS LA PRESSE, LTÉE
©Copyright, Ottawa, 1979

1ère réimpression 1979
2e réimpression 1980

Dépôt légal:
BIBLIOTHÈQUE NATIONALE DU QUÉBEC
1er trimestre 1979
ISBN 2-89043-000-6

ISAAC M. MARKS, M.D., D.P.M.

vivre avec son anxiété

traduit et adapté par
YVES LAMONTAGNE
M.D.. F.R.C.P.(C)

le soulagement de l'angoisse et de la tension nerveuse

la presse

A Célyne

Préface à l'édition française

Lorsque le docteur Marks me fit parvenir le manuscrit de son dernier livre en me demandant si j'étais intéressé à en faire une adaptation française, je lui ai répondu par l'affirmative, sans lire le document. Ayant travaillé avec lui pendant une année complète, j'étais assuré de retrouver dans sa dernière œuvre la clarté et la précision que lui seul connaît, de même que sa capacité de décrire simplement des notions parfois très complexes en psychiatrie.

La lecture subséquente du texte a confirmé mes impressions. L'auteur réussit non seulement à décrire la majorité des problèmes névrotiques reliés à l'anxiété de même que leur traitement, mais il va plus loin en donnant au lecteur des notions de thérapie comportementale qui lui permettront de faire face à ses problèmes par lui-même.

Mais qu'est-ce donc que la thérapie comportementale? A partir des années 60, la *behavior therapy*, mieux connue sous les vocables de thérapie comportementale en France et thérapie behaviorale au Québec, a pris un essor considérable tant du point de vue de la prévention que du traitement des divers problèmes psychologiques. Contrairement aux approches traditionnelles en psychiatrie, la thérapie comportementale explique les problèmes psychologiques en termes d'habitudes inappropriées ou maladives qui ont été apprises et qui continuent à se manifester de la même façon qu'un individu acquiert de bonnes habitudes. Par différentes techniques qui ont été évaluées scientifiquement en laboratoire, il s'agit donc de désapprendre le ou les comportements qui nous causent des soucis et de réapprendre des comportements incompatibles avec l'anxiété. La thérapie comportementale découle donc des théories de l'apprentissage. Contrairement à la psychanalyse dont l'effort porte sur la structure subjective du comportement, c'est-à-dire les sentiments et les émotions, la thérapie comportementale s'adresse d'abord au comportement objectif et met l'accent directement sur les symptômes. Nouvelle forme de traitement psychiatrique de plus en plus en usage, elle trouve son application dans des troubles psychologiques variés: névroses, psychoses, déficience mentale et troubles du comportement.

J'ai participé à certaines expériences décrites dans ce livre et j'ai également traité quelques-uns des cas qui y sont rapportés. Je suis reconnaissant au docteur Marks, qui a eu l'heureuse idée de livrer au grand public le fruit de ses recherches et du travail de son équipe, de m'honorer de sa confiance.

Yves Lamontagne, M.D., F.R.C.P. (C)

Préface à l'édition anglaise

Ce livre a pour but d'aider les gens à comprendre la nature de leurs peurs et à leur apprendre à les contrôler. Les soucis font partie de la vie quotidienne de chacun. Il n'existe pas de démarcation nette entre les peurs normales que nous connaissons et auxquelles nous pouvons faire face et les phobies intenses qui requièrent l'aide professionnelle. La différence majeure en est une de degré et l'assistance professionnelle est requise seulement lorsque nos peurs commencent à restreindre notre vie. Des guides sont alors nécessaires pour expliquer l'origine de la tension nerveuse, ses diverses manifestations et les moyens de la surmonter. Connaître les problèmes des autres et leur façon de les vaincre aide certainement. Ce livre décrit les principaux modèles d'anxiété retrouvés dans la vie courante et en clinique psychiatrique. Il indique aussi des approches pour s'aider soi-même et signale des techniques professionnelles maintenant disponibles pour soulager la souffrance d'origine psychologique. Le traitement de l'anxiété a progressé de façon impressionnante depuis quelques années et plusieurs victimes peuvent maintenant, pour la première fois, trouver de l'aide. Bien que cet ouvrage ne soit pas un manuel détaillé de traitement, il peut néanmoins faciliter la compréhension de nos difficultés et nous donner quelque idée sur la façon de les vaincre et, si nécessaire, de collaborer au traitement. Il est dédié aux malades et aux thérapeutes qui, par leurs observations, l'ont rendu possible. C'est grâce à leur coopération que nous avons pu accroître nos connaissances et développer des techniques plus efficaces pour diminuer la tension nerveuse.

Bien que ce livre s'adresse principalement au public en général, il peut sans doute intéresser les élèves et les professionnels de la santé mentale, tels les étudiants en médecine, les médecins, les psychiatres, les psychologues, les infirmières, les travailleuses sociales et les agents de probation. Pour eux, la section expliquant les modèles cliniques s'avérera sûrement la plus pertinente.

Remerciements

L'auteur est profondément reconnaissant aux nombreux chercheurs cités dans ce livre, dont le docteur Douglas Bond (*The Love and Fear of Flying*, International Universities Press, 1952), Joyce Emerson (*Phobias*, National Association of Mental Health, 1971), feu le professeur Carney Landis (*Varieties of Psychopathological Experience*, édité par F. A. Mettler, Holt, Rinehart et Winston, 1964), Mary McArdle (« Treatment of a phobia », *in Nursing Times*, 1974, pp. 637-9), le docteur Don Meichenbaum (Rapport de recherche inédit), le docteur Colin Parkes (« The First Year of Grief », *in Psychiatry*, 1970, no 33, pp. 444-467), le docteur John Price (article inédit sur l'aversion), le docteur S. Rachman (*The Meaning of Fear*, Penguin Books, 1974) et le docteur Claire Weekes (*Peace from Nervous Suffering: Self-help for your Nerves*, Angus et Robertson).

Les nombreuses citations incluses dans cet ouvrage nous viennent des milliers de malades que l'auteur a traités en divers endroits du monde depuis les quinze dernières années, et de deux livres du même auteur sur le sujet: *Fears and Phobias*, 1969; *Clinical Anxiety*, 1971, en collaboration avec le docteur Malcolm Lader. Ces ouvrages ont été publiés chez Heinemann Medical Press.

I Bref aperçu de la peur, de l'anxiété et de la phobie

Comme tout le monde, vous avez parfois des soucis. Vous seriez même anormal si vous n'en aviez pas. L'anxiété est inhérente à la condition humaine et il en sera toujours ainsi. L'homme des cavernes s'inquiétait de son prochain repas et l'empereur romain broyait du noir lorsqu'il songeait à la possibilité d'être assassiné; aujourd'hui, le pilote d'avion se ronge les ongles lorsque son système d'atterrissage fait défaut. Selon les styles de vie, les inquiétudes diffèrent mais la tension continue.

L'anxiété est normale dans le sens qu'elle est répandue et qu'elle affecte presque tout le monde. Son déclenchement peut varier d'une personne à une autre, mais certaines activités évoquent régulièrement de la tension chez la plupart. L'anxiété fait donc partie de notre vie quotidienne, car toutes nos actions impliquent ordinairement du danger. Par exemple, nous devons demeurer constamment vigilants sur les autoroutes; les négligences deviennent habituelles et l'inattendu survient toujours. Un assistant qui n'est pas sûr de lui se soucie de son emploi, un président de compagnie s'agite lorsqu'il doit prendre une décision et une téléphoniste est harcelée par les clients désagréables. Les prix exorbitants obligent la ménagère à étirer son budget déjà limité afin de nourrir sa famille. Le mari et l'épouse se querellent, les parents et les enfants sont en désaccord. Il semble donc impossible de vivre sans aucune anxiété.

L'anxiété est l'émotion que nous éprouvons lorsque nous sommes acculés au mur. Cette émotion ressemble à la peur; nous nous sentons alors menacés bien que la source de cette menace ne soit pas nécessairement évidente. Notre vocabulaire est particulièrement riche en termes qui décrivent l'anxiété et les émotions connexes. Pensez à la liste suivante: appréhension, malaise, nervosité, soucis, inquiétude, préoccupation, pressentiment, sensibilité, détresse, consternation, trépidation, effroi, terreur, épouvante, horreur, angoisse, panique, agitation, soucieux, crispé, excité, être sous pression, troublé, méfiant, effrayé, ébranlé, bouleversé, sidéré, affolé, menacé, défensif, perturbé. Tous ces mots nous dévoilent des nuances subtiles d'émotions similaires à l'anxiété. Lorsque la société développe un vocabulaire aussi riche sur certains sentiments, nous pouvons être assurés que ce type d'expérience est commun et important.

En général, l'anxiété et la peur sont très proches l'une de l'autre. Lorsque la cause du problème s'identifie facilement, nous parlons habituellement de la peur. Ainsi, quelqu'un qui affronte un lion a peur, sans aucun doute. Mais, lorsque la même personne s'inquiète des mois à l'avance d'un examen sans grande importance, elle est alors anxieuse. En anglais le mot *fear* (peur) origine d'un vieux terme qui veut dire calamité soudaine ou danger, alors que le terme anxieux vient d'une racine grecque qui signifie comprimé ou étranglé.

La plupart des enfants et des adultes présentent des petites peurs. Les enfants craignent habituellement que leurs parents les abandonnent, ils redoutent le bruit, les étrangers, les animaux, et les situations inhabituelles. Les adultes ont peur des hauteurs, des ascenseurs, de la noirceur, des avions, des araignées, des souris, peur de passer des examens et peur des superstitions, comme d'être hantés par les esprits, de passer sous des échelles, etc... Ces peurs sans gravité ne conduisent pas à l'évitement total des situations concernées et peuvent souvent être vaincues par des explications. Elles ne requièrent aucun traitement.

La peur est une réponse normale à une menace présente ou imaginée. Elle produit une émotion chez la personne, modifie son comportement et sa physiologie. Cette personne éprouvera une accélération de son rythme cardiaque et notera la rapidité de son pouls. Un observateur pourra remarquer des sueurs au front. D'autres modifications seront décelées par des instruments précis: l'augmentation de la conduction électrique de la peau, par exemple.

Lors d'une peur, les deux changements de comportement les plus évidents contrastent de façon étonnante. Certaines personnes gèlent sur place et demeurent immobiles et muettes; les animaux feignent même de mourir. D'autres personnes, au contraire, sursautent, crient et s'enfuient. De plus, l'homme, comme l'animal, peut passer rapidement d'un extrême à l'autre; ainsi, l'animal effrayé s'arrête pendant un court moment et s'enfuit promptement pour se cacher par la suite.

L'anxiété et la peur provoquent des sentiments subjectifs déplaisants: terreur, palpitations, tension musculaire, tremblements, sursauts, serrements et sécheresse de la gorge et de la bouche, constriction de la poitrine, sensation de vide dans l'estomac, nausées, désespoir, besoin d'uriner ou de déféquer, irritabilité, envie de pleurer, de courir ou de se cacher, difficulté à respirer, impression d'avoir des fourmis dans les mains et les pieds, sentiments d'éloignement ou d'irréalité, faiblesse paralysante des membres et sensation de perte d'équilibre ou de perte de connaissance. Même des gens en bonne santé présentent de la fatigue, de la dépression, du ralentissement, de l'agitation et une perte d'appétit s'ils sont soumis à une peur ou à une anxiété persistante. Ils souffrent également d'insomnie, font des cauchemars et évitent d'autres situations qui les effraient.

Notre organisme témoigne largement de nos émotions. Le docteur Julian Leff souligne ce point dans le passage suivant:

« J'avais le cœur dans l'eau à mesure que j'avançais dans l'allée. Bien que je détestais son cran, mon estomac était sens dessus dessous à mesure que j'approchais de sa maison. J'ai frappé à la porte et mon cœur bondit dans ma poitrine lorsque j'entendis ses pas à l'intérieur. Des frissons descendirent le long de mon dos lorsqu'il joua avec la serrure et, lorsqu'il ouvrit la porte, ma peau s'est tendue à sa vue.

« Je parle avec mon cœur lorsque je vous dis que je ne peux vous digérer », laissé-je échapper. Il rit d'un air méprisant et je sentis les nausées m'envahir.

« Vous êtes un casse-pied », grommela-t-il. Sa réplique me bloqua la gorge.

« Suis-je ici à cause de cette femme à qui vous avez brisé le cœur? » rétorqué-je, et la pensée d'Amanda me fit sentir le cœur gros. Il se retourna si subitement que cela me fit sursauter. Ma tête tournoyait... »

Lorsqu'un individu a peur, il se produit de nombreux changements physiologiques: pâleur de la peau, sudation, hérissement des cheveux, dilatation des pupilles, accélération du rythme cardiaque, augmentation de la tension artérielle, circulation sanguine accrue dans les muscles, respiration haletante, contractions de la vessie et du rectum et variations de la conduction électrique de la peau. Au point de vue chimique, les glandes surrénales secrètent une hormone, l'adrénaline, et les terminaisons nerveuses libèrent la noradrénaline. La plupart de ces modifications surviennent également avec d'autres émotions.

Darwin a décrit la peur en détail: « L'homme apeuré se tient comme une statue, sans mouvement et sans respiration... Son cœur bat rapidement et violemment... Sa peau devient instantanément pâle et froide... La sudation apparaît immédiatement... Les poils se dressent et les muscles tremblent... A cause de l'activité perturbée du cœur, la respiration est accélérée... La bouche devient sèche... et un des symptômes les plus marqués est la trémulation de tous les muscles du corps qui se perçoit d'abord par le frémissement des lèvres. »

Lorsque la peur s'intensifie, nous l'appelons alors terreur. Darwin continue: « Le cœur bat à tout rompre ou très irrégulièrement et la perte de connaissance s'ensuit; une pâleur cadavérique apparaît; la respiration devient difficile; les ailes du nez battent fortement... Il y a un serrement dans la gorge, les yeux sont sortis... les pupilles dilatées, les muscles rigides. Lorsque la peur atteint son paroxysme, un cri de terreur surgit. La peau est inondée de gouttelettes de sueur. Tous les muscles du corps se relâchent, une prostration complète suit et les processus mentaux font défaut. Les intestins sont affectés. Les muscles sphinctériens cessent d'agir et ne retiennent plus les déchets de l'organisme. »

Il peut sembler facile de reconnaître la différence entre des gens effrayés et des personnes joyeuses ou surprises. D'une part, il existe en fait des différences culturelles. Ainsi, les Occidentaux saisissent mal des émotions vécues par les Japonais, et vice versa. Les Orientaux et les Occidentaux diffèrent en effet dans l'expression de petites émotions; cette nuance s'atténue cependant lors d'émotions très intenses. D'autre part, dans une même culture, la présentation d'une série de photographies montrant des gens joyeux, tristes, envieux, dégoûtés ou effrayés, n'évoque pas nécessairement les mêmes sentiments chez différents observateurs. De même, les émotions des bébés sont plus délicates à capter que celles des adultes qui possèdent une gamme plus grande et plus raffinée d'émotions. Bien que la joie se différencie rapidement de la terreur, la peur se dissocie moins facilement de la surprise, de la colère ou du dégoût. Pour cette raison, les cris et les pleurs présents lors d'une grande joie peuvent être interprétés à tort pour des sentiments d'angoisse et de chagrin sur une photographie.

La tension peut être agréable

Même si elle est habituellement déplaisante, les gens n'essaient pas toujours d'éviter l'anxiété. Au contraire, certains la recherchent activement et ressentent un plaisir intense à maîtriser des situations dangereuses. Les conducteurs d'automobiles de course, les toréadors et les guides alpins s'exposent à des sports dangereux pour les émotions fortes qu'ils provoquent. Les livres et les films d'horreur sont des divertissements qui rapportent des millions de dollars. La participation aux courses de démolition d'automobiles démontre encore le plaisir qu'ont certaines personnes à se sentir momentanément anxieuses. Jouer à faire coucou est une forme d'agrément provoquant une légère anxiété chez les enfants. Les bébés aiment bien voir leurs parents disparaître pour quelques moments en arrière d'une porte et les voir surgir à nouveau peu après. Lorsque le papa et la maman sont cachés, l'enfant peut paraître tendu jusqu'à ce qu'ils apparaissent; il fera alors un petit cri de joie. Cependant, si les parents tardent à se montrer, la tension de l'enfant augmente et il peut pleurer à cause de la peur.

L'anxiété légère est utile, l'extrême ne l'est pas

Sous des formes moins extrêmes, l'anxiété et la peur peuvent être très utiles. Elles nous incitent à agir rapidement en face d'une menace et nous aident à demeurer vigilants dans des situations difficiles. Les acteurs et les politiciens rapportent souvent la présence d'une anxiété légère avant de paraître en public et ils affirment que celle-ci favorise l'affrontement de la situation. La peur accompagne normalement des activités comme passer un examen ou faire du parachutisme. Les pilotes de guerre associent leur meilleure combativité au fait de se sentir effrayés.

Un certain seuil caractérise une bonne réussite individuelle: lorsque nous n'avons pas assez peur, nous risquons de devenir nonchalants, et lorsque nous avons trop peur, nous devenons maladroits ou paralysés. Un chercheur a constaté que les vétérans parachutistes avaient une peur minime avant le saut alors que les novices étaient beaucoup plus effrayés; cette peur diminuait rapidement après l'atterrissage. La participation à des expériences dangereuses entraîne les gens à développer un grand respect pour le danger et à le prévenir. Une étude chez les soldats américains a établi que des troupes inexpérimentées montraient peu de peur et négligeaient les mesures de sécurité. Après l'exposition à une bataille, les recrues se surveillaient davantage, exprimaient une certaine peur et faisaient moins d'erreurs.

Une peur légère aide à faire face à des problèmes de situation. Par exemple, chez des personnes devant subir une chirurgie majeure, un chercheur a noté que les malades qui ne manifestaient aucune peur avant l'opération souffraient d'inconfort et de douleurs excessives après l'opération et devenaient plus colériques et plus hostiles que ceux qui se sentaient modérément anxieux avant l'intervention chirurgicale. Ces derniers réagissaient mieux, avaient moins peur après l'opération et ressentaient beaucoup moins de douleurs. Au contraire, les malades angoissés au plus haut degré avant l'intervention étaient fortement apeurés après celle-ci et se plaignaient considérablement. Donc, si la peur et l'anxiété à des degrés moindres s'avèrent utiles, les extrêmes ne sont pas bénéfiques et peuvent être très nuisibles. Des parachutistes à l'entraînement tendent à avoir de mauvais résultats s'ils sont trop effrayés; même des parachutistes chevronnés peuvent devenir terrorisés au point de ne plus se maîtriser et d'être incapables de sauter.

Lors d'une panique produite par un incendie ou un tremblement de terre, des gens courent aveuglément dans toutes les directions et négligent complètement leurs responsabilités sociales habituelles; par exemple, une mère de famille sort d'une maison en feu et y laisse son bébé. Au cours d'un bombardement, des soldats peuvent vomir, déféquer et devenir paralysés par la peur à un point tel qu'ils oublient de se mettre à couvert ou d'amener sous un abri des compagnons dont ils sont responsables. Des acteurs ou des orateurs terrifiés perdent la mémoire et deviennent aphones.

Une anxiété moins intense peut également résister à toute tentative pour la réduire. Des malades anxieux rapportent souvent des paniques à répétition et de durée variable; celles-ci disparaissent sans aucune relation avec ce que fait le malade. Habituellement, aucun facteur précis ne les déclenche. Parfois, les poussées anxieuses sont attribuées aux comportements actualisés par la personne à ce moment. Un malade peut éviter par la suite une situation qui avait provoqué l'anxiété croyant que cela peut l'aider. Ainsi, un malade qui reçoit une nouvelle médication peut attribuer sa panique à celle-ci et cesser sa médication même si des symptômes identiques étaient présents avant le début du traitement.

L'anxiété dans les situations d'urgence

Lors d'une urgence, quand nous avons à agir rapidement et sans penser, nous pouvons éprouver de l'anxiété seulement lorsque le danger est passé. Après avoir évité un accident de justesse, un automobiliste rapporta: « Je montais une côte et j'ai remarqué un enfant de six ans au bord de la route, à quelques pieds de l'automobile. Il me regardais et semblait attendre que j'aie passé. En arrivant presque vis-à-vis de lui, il traversa soudainement la rue devant la voiture. Automatiquement, j'ai mis les freins à pleine force et j'ai évité l'enfant par une fraction de pouce. Il me semblait que tout ceci arrivait à quelqu'un d'autre, comme dans un film; quelques secondes après, lorsque j'ai continué ma route, mon cœur commença à battre rapidement, j'étais en sueur et je tremblais de tous mes membres. Je réalisais la tragédie que je venais tout juste d'éviter. Tous ces symptômes durèrent environ quinze minutes et disparurent graduellement par après. »

Plusieurs heures peuvent s'écouler avant l'apparition de l'anxiété. Ce phénomène est fréquent au cours des combats. Durant la Seconde Guerre mondiale, un pilote de bombardier en était à sa sixième mission. Lorsque l'attaque commença, le copilote fut tué instantanément, atteint d'une balle en pleine figure. Le pilote ne réalisa absolument pas ce qui se passait et tenta de replacer à plusieurs reprises le masque à oxygène sur la figure de son copain. Cette mission était particulièrement périlleuse; en effet, le pilote devait revenir trois fois sur la cible et faire plusieurs tours de trois cent soixante degrés directement au-dessus de celle-ci. Le pilote compléta néanmoins avec succès sa mission sans perdre son sang-froid; il fut même félicité de sa performance à son retour à la base. Après l'atterrissage, il changea calmement de vêtements et commença à trembler. Il se rendit chez le médecin de la base et c'est uniquement à ce moment qu'il fit une crise de larmes et succomba à une véritable panique.

Des gens qui doivent agir dans des situations d'urgence éprouvent bien souvent plus tard des émotions reliées à ces situations. Un autre pilote de dix-neuf ans, dont l'avion et l'équipage avaient été sérieusement endommagés, a livré à son médecin ce récit dramatique des événements qui se sont passés dans l'avion à ce moment: « Le franc-tireur vint dans la cabine et me dit: Terry est mort. Je lui ai dis: Es-tu sûr? Peut-être puis-je faire quelque chose pour lui. J'allai à l'arrière de l'avion et je regardai le derrière de sa tête; elle était complètement déchiquetée. Le plancher était couvert de sang. J'ouvris sa chemise encore toute chaude; je ne

pouvais entendre son cœur. (Aviez-vous peur?) Je n'avais peur de
rien encore. Si j'avais eu peur à ce moment, j'aurais tout simplement sauté de l'avion. J'ai relevé sa paupière. Aucun mouvement
là non plus. S'il est encore vivant, il doit bien respirer. J'ai regardé
le diaphragme sur le système d'oxygène, celui-ci ne bougeait pas!
Pauvre type, il doit être mort. Je revins vers l'avant. Comment
pouvais-je être effrayé puisque j'avais à ramener mon navigateur?
Je n'ai ressenti aucune peur avant d'atteindre le sol. Alors là, j'ai
commencé à trembler comme une feuille. » Après cette mission,
ce pilote devint tellement nerveux qu'il ne put mettre le pied à
bord d'un avion pendant un an.

« Suis-je normal? Ai-je besoin de traitement? »

Ces questions préoccupent plusieurs personnes. En fait,
les simples tracas ne requièrent aucun traitement alors que les
problèmes véritables doivent être traités; ce sont les deux extrêmes d'un *continuum* qui se mélangent cependant à un certain
point. Dans des situations menaçantes, il est anormal de ne pas
avoir peur. Erasme l'a très bien décrit au XVe siècle. Il fuyait la
peste, les gens mouraient par milliers, et il écrivait à un ami:
« Réellement, je considère que l'absence totale de peur dans des
situations comme la mienne n'est pas une marque de vaillance,
mais plutôt de sottise. » Nous sommes tous prudents sur la crête
d'un récif ou lorsque nous rencontrons des étrangers dans un nouveau pays. Nous ne sentons pas le besoin de consulter notre médecin pour cette anxiété protectrice, commune et normale. Il reste
que bien peu d'entre nous ont à cesser de travailler par crainte
d'utiliser les transports en commun. Cette anxiété serait inusitée,
paralysante et anormale.

Bien que nous soyons tous tendus et effrayés par moments,
cet état peut atteindre un point où nous nous demandons: « Suis-
je en train de devenir fou? » L'anxiété ne rend pas fou. Habituellement, nous pouvons régler nous-mêmes nos problèmes avec
succès; à l'occasion, l'aide de parents ou d'amis est certes fort
précieuse. Lorsque nos tracas sont tellement importants que les
solutions de bon sens ne donnent rien, la consultation d'un spécialiste devient indiquée. Ces états anxieux intenses s'appellent
anxiété clinique ou anormale, mais la différence entre la peur et
la tension n'en est qu'une de degré. Les malades apeurés demandent souvent: « Suis-je normal docteur? Est-ce que je deviens cin-
glé? » Ces patients sont normaux, même si leurs peurs sont anor-

males. Certains tracas peuvent devenir tellement importants qu'ils atteignent l'anormal, dans le sens statistique du terme, mais les gens manifestant ces problèmes sont parfaitement normaux sous d'autres aspects. Une personne qui développe une agoraphobie n'est pas en train de décompenser psychologiquement, mais tout simplement une personne normale ayant une peur d'une intensité telle qu'elle handicape ses activités quotidiennes.

Le professionnel peut rassurer les gens qui ont peur ou qui souffrent de tension, leur apprendre à comprendre leurs problèmes et leur montrer que d'autres personnes souffrent de tracas similaires. Nous pouvons habituellement vaincre les anxiétés de tous les jours par nos propres moyens, en utilisant quelques-unes des méthodes décrites dans ce livre et avec l'aide d'amis et de parents. Cependant, il vaut la peine de chercher une aide professionnelle lorsque notre vie commence à être restreinte par nos peurs. Un traitement par un professionnel bien entraîné devient indiqué lorsque, par exemple, une peur sexuelle nous empêche d'établir une relation conjugale adéquate ou lorsque nous sommes tellement préoccupés par la poussière que nous gaspillons six heures par jour à nous laver les mains et à les rendre rêches et sanguinolentes. La plupart des tensions nerveuses peuvent se traiter en clinique externe; l'admission à l'hôpital demeure encore exceptionnelle pour ces malades.

Quelques définitions

Pour éviter une compréhension erronée, définissons l'anxiété et ses états similaires.

L'anxiété est une émotion déplaisante associée à un sentiment de danger imminent que l'entourage ne peut déceler.

La peur est une émotion similaire qui se manifeste normalement en réponse à un danger ou à une menace réelle. La timidité indique une tendance persistante à avoir peur facilement. La panique dénote une poussée soudaine d'une terreur aiguë. L'anxiété phobique survient seulement lors d'une situation particulière ou au contact d'un objet précis.

Bien que la distinction entre la peur, l'anxiété et la phobie soit arbitraire jusqu'à un certain point, il vaut mieux décrire séparément ces trois termes qui représentent des états différents. La phobie, forme spéciale de peur, est une réaction non proportionnée aux demandes d'une situation; elle ne peut s'expliquer ou se raisonner, elle échappe au contrôle volontaire et conduit à l'évitement de la situation redoutée. Les malades phobiques reconnaissent habituellement l'irréalité de leur peur et savent que d'autres personnes ne sont pas indûment effrayées par les mêmes choses. La phobie est irrationnelle malgré les rationalisations des malades pour expliquer leur peur.

La disproportion entre une phobie et son stimulus saute aux yeux dans la phobie des plumes ou des mites, mais une telle disproportion se retrouve également dans des phobies plus complexes, comme celle du cancer ou de quitter la maison.

Cette disproportion apparaît clairement chez cette femme terrifiée par les mites et les papillons qui devait garder ses fenêtres hermétiquement fermées en été; à plusieurs reprises, elle avait dû quitter des autobus et des trains à la vue d'une mouche ou d'un papillon. Plusieurs accidents avaient été causés par sa phobie. A bicyclette, elle s'était jetée par terre à la vue d'un papillon, entraînant sa compagne avec elle. Elle était tombée à l'eau à deux reprises, alors que de gros papillons volaient autour d'elle. En une autre occasion, montée sur une chaise pour nettoyer sa garde-robe, elle ramassa une mouche morte, tomba de la chaise et se fractura la cheville. Elle ne pouvait jamais entrer dans une pièce où il y avait des mouches ou des papillons et examinait les lieux au moindre signe de leur présence. De façon étonnante, cette peur ne s'était pas étendue à d'autres animaux rampants, araignées, scarabées ou chenilles. « Je ferais face à une pleine boîte d'araignées plutôt qu'à une seule mite. »

A l'extrême, les peurs paralysent la vie des gens. « Pour moi, sortir équivalait à avoir peur », disait une femme. « Quand je sortais, je ne pouvais pas respirer, mes jambes tremblaient. Donc, je ne sortais pas; je suis restée chez moi pendant quatre ans. Le tout commença très graduellement; j'ai d'abord remarqué que, dans les foules, je ne pouvais pas respirer et j'étais prise de panique; si j'allais au supermarché et que celui-ci était achalandé, je sortais. En autobus, je voulais arriver à destination plus rapidement que l'autobus ne pouvait le faire. Après un début insidieux, ma situation s'aggrava. Je pleurais toujours parce que je voulais sortir. Je manquais les sorties que mon mari faisait avec mon fils; je retenais mes pleurs et, après leur départ, je me mettais à pleurer. Je me sentais si seule que je devais parfois me traîner au lit; je prenais un médicament très fort pour m'endormir. »

Les malades éprouvent une anxiété envahissante lorsqu'ils sont confrontés avec la situation phobique. Ils ruminent sans cesse leurs expériences apeurantes et tremblent d'épouvante à l'anticipation de leur prochaine rencontre avec l'objet phobique. Cette peur de la peur devient une source de menace. Pour fuir une telle anxiété, ces malades évitent les situations phobiques et restreignent leurs activités et leurs occupations quotidiennes. Toujours aux aguets, ils présentent une hypersensibilité à tout ce qui est relié à leur phobie. Une personne souffrant de la phobie des araignées fera une inspection méticuleuse de la pièce avant de s'asseoir calmement. Un phobique des oiseaux évitera les rues où nous rencontrons beaucoup de pigeons et se promènera davantage dans des secteurs plus déserts. Afin d'être sûr d'éviter l'objet phobique, le malade le recherche continuellement, le trouve dans des endroits obscurs et le voit avec sa vision périphérique. Au cours du traitement, la perception diminuée de l'objet phobique dans l'environnement dénote un début d'amélioration.

Plusieurs situations phobiques courantes ne peuvent être évitées facilement. Une personne peut gâcher sa vie à cause de sa peur des chats, sa peur de traverser les rues ou les ponts, de marcher dans la foule et de voyager en autobus ou en train. Des événements plus inhabituels provoquent beaucoup de souffrance chez certaines personnes. Une femme de quarante-huit ans avait une phobie du tonnerre depuis vingt-huit ans. « Au cours d'un orage, il m'est impossible de travailler. Je m'assois et j'attends que l'orage passe. Lorsque le tonnerre commence, je me renferme dans une garde-robe et j'y reste jusqu'à la fin de l'orage, toute la nuit si c'est nécessaire. Je deviens maussade et agressive. J'écoute toutes les prévisions de la météo à la radio même si je sais que c'est stupide. J'espère que je pourrai guérir car mon mari et ma fille sont fatigués de moi. »

Des gens atteints de la phobie du tonnerre téléphonent à répétition au bureau météorologique pour connaître les derniers bulletins de nouvelles; à la moindre prévision d'un orage, ils ne quittent pas leur foyer cette journée-là. L'annonce de la pluie et du tonnerre provoqua une telle panique chez un malade qu'il prit le train de Londres à Manchester pour fuir l'orage.

En général, les profanes comprennent difficilement les phobies. Plus les objets phobiques sont communs et familiers, moins les gens comprennent et sympathisent avec le malade. La plupart n'admettent pas qu'une personne soit effrayée par un chiot enjoué, un petit oiseau ou par une sortie à l'extérieur de son domicile. Plusieurs croient que le malade exagère et qu'il doit se ressaisir pour faire face à la situation.

Le public accepterait davantage ces malades s'il connaissait mieux les phobies provoquées par des objets très familiers.
Une femme avait une telle crainte des perruques qu'elle visitait
uniquement sa coiffeuse après l'avoir avertie de cacher tous les
postiches. Elle n'approchait jamais une personne portant une perruque et était incapable de manger en sa présence. Adulte, elle
avait presque passé à travers une vitrine lorsqu'un farceur était
entré dans la pièce, affublé d'une perruque. Elle se sentait évidemment honteuse et embarrassée par sa peur.

La plupart ne réalisent pas l'intensité des émotions et les
handicaps causés par les phobies. Une malade rapportait: « Je
trouve que les gens ont généralement tendance à mettre de côté
les phobies. C'est comme s'ils disaient: 'ne sois pas stupide, il ne
peut rien t'arriver.' Ils ne voient pas la différence entre la peur et
la phobie. Cette peur absolue, cette terreur indescriptible de l'objet concerné. »

La dissimulation des phobies

Le manque de compréhension rend plusieurs phobiques
susceptibles et honteux. Ils craignent le ridicule, souffrent en silence et cachent leur anxiété le plus longtemps possible. Lorsqu'ils ne peuvent plus cacher leur problème, certains le dissimu-
lent en se plaignant plutôt de maux de tête, de palpitations, de
diarrhées ou de fatigue. D'autres ont l'impression de sombrer lentement dans la folie. En gardant leur phobie secrète, celle-ci n'est
souvent connue que de ceux qui côtoient ces malades. Des mères
de famille agoraphobes s'emprisonnent dans leur maison pendant
des années sans que les parents ou les amis ne réalisent qu'elles
font vraiment face à un problème. Par exemple, plusieurs nouveaux cas d'agoraphobie ont été découverts accidentellement au
cours d'un projet de rénovation urbaine à New York. Des familles
noires et portoricaines vivant dans une seule pièce ont été logées
ailleurs et suivies par des travailleurs sociaux. Il apparut clairement que plusieurs femmes avaient été et étaient encore phobiques dans leur nouvel environnement. Certaines mères incapables de dormir sans contact direct avec leurs enfants ou un autre
adulte tentèrent de restaurer à nouveau leur ancien comportement et invitèrent une sœur ou un amant à venir demeurer avec
elles. Dans ces logis plus spacieux, tous dormaient habituellement encore dans la même chambre. Plusieurs femmes rapportè-

rent alors qu'elles avaient toujours eu peur de voyager ou de travailler seules.

Les phobies ne peuvent pas disparaître aussi facilement que les superstitions, mais lors d'une extrême fatigue, certains malades peuvent écarter leur peur pendant un certain temps. Dans un camp de concentration nazi où 120 000 personnes moururent ou furent transférées dans des camps d'extermination en Europe de l'Est, les phobies disparurent complètement ou s'améliorèrent à un point tel que les malades pouvaient travailler. Aucun nouveau cas de névrose phobique ne fut rapporté malgré l'apparition de divers troubles mentaux chez plusieurs personnes. Des mois après la libération et le retour au foyer, plusieurs névrotiques, complètement asymptomatiques durant leur séjour dans ces camps, développèrent de nouveau leurs anciens symptômes.

Problèmes qui peuvent être confondus avec les phobies

Certains phénomènes ressemblent aux phobies; il est cependant possible et important de les séparer de celles-ci. Les superstitions et les tabous sont des croyances populaires partagées par d'autres membres du même groupe culturel; par exemple, l'idée de malchance en passant sous une échelle.

Les obsessions se présentent sous forme de pensées indésirables, répétitives et insistantes, malgré la résistance active du sujet: par exemple, une mère tourmentée par des désirs non recherchés d'étrangler son bébé endormi.

Les préoccupations sont des idées répétitives survenant sans résistance de la part du sujet: tout adolescent se tourmente et croit qu'il est sexuellement inadéquat pendant un certain temps.

Les idées de référence incluent la peur que les paroles et les gestes des autres se rapportent à soi alors qu'en fait ils n'ont aucune relation avec la personne concernée: par exemple, l'idée que lorsque l'on entre dans une pièce tous les gens sont en train de parler de nous. Dans le délire paranoïde, le malade a peur que quelqu'un soit contre lui, sans aucune raison.

Le comportement contraphobique consiste en une attirance marquée vers des situations ou des objets phobiques; ce comportement se manifeste au cours d'une phobie relativement légère, ou lorsque le phobique tente de maîtriser son problème. Ainsi, une femme qui avait peur des hauteurs au point qu'elle ne pouvait jamais prendre un ascenseur maîtrisa sa peur en devenant hôtesse de l'air. Le comportement contraphobique s'avère utile pour aider le malade à vaincre sa peur; il lui permet de devenir graduellement familier avec la situation phobique jusqu'à ce qu'elle perde son aspect apeurant. A l'extrême, un malade avec une phobie de l'eau peut devenir nageur enthousiaste ou marin, et une personne avec une phobie de parler en public peut saisir chaque circonstance opportune pour faire un discours.

Le comportement contraphobique ressemble à celui des enfants qui ont beaucoup de plaisir à jouer à cache-cache; il se retrouve chez des adultes qui prennent leur plaisir dans des poursuites risquées, comme la course automobile ou l'alpinisme.

Les aversions

Plusieurs personnes ne craignent pas certaines situations, mais manifestent un dégoût marqué pour toucher à certaines choses qui laissent la plupart indifférents et que d'aucuns peuvent même aimer. Certaines textures leur donnent un sentiment de nausées, de grincement de dents ou de frissons dans le dos. Un homme éminent avait un dégoût extrême pour des textures velues, comme la peau des pêches, les balles de tennis neuves et certains tapis; il ne pouvait pas entrer dans une pièce où il y avait un tapis de cette texture particulière. Lorsqu'il jouait au tennis, il devait porter un gant jusqu'à ce que la balle soit usée. D'autres personnes trouvent difficile de manipuler des vieux boutons de perle, des balles de laine, du velours et d'autres articles similaires. Certains peuvent aimer voir du velours dans les magasins, mais détester sa texture. Un malaise similaire est déclenché par le grincement d'une craie sur un tableau ou encore d'un couteau dans une assiette.

Ces aversions peuvent paraître insignifiantes, mais elles sont souvent paralysantes. Une dame détestait tellement le grincement de la craie sur un tableau qu'elle abandonna son ambition de devenir professeur. Une autre trouvait le velours si insupportable qu'elle était absolument incapable d'assister à des soirées enfantines lorsque les bambins portaient des habits de velours. Une troisième disait: « Tous les boutons me donnent mal au cœur. Je suis comme cela depuis ma tendre enfance et mon oncle avait le même problème. Je peux seulement porter des vêtements avec des fermetures à glissière ou des agrafes, mais pas de boutons. »

Nous pourrions décrire une liste sans fin des différentes

sortes d'aversion. Au cours d'un programme radiophonique à la BBC, le docteur John Price et son équipe invitèrent les auditeurs à les informer sur leurs diverses aversions; la plus fréquente était celle de toucher à des balles de laine, de la paille de fer ou à du velours. Les aversions pour le goût ou la senteur semblent également communes et amènent plusieurs personnes à éviter certains aliments comme les oignons. La sensation horrible éprouvée par les aversions diffère légèrement de celle qui se manifeste lors d'une peur. Certaines personnes avec une aversion de la craie se lécheront les lèvres, trembleront ou souffriront de pâleur.

Les lettres reçues par le docteur Price nous ont aidés à comprendre comment les aversions peuvent être déplaisantes. Plusieurs lettres exprimèrent la souffrance des enfants qui devaient porter des costumes de velours. Ils présentaient, au grand désespoir de leurs mères, une aversion pour ce matériel. « Depuis que je peux me rappeler, j'ai été incapable de toucher à du velours. Ma mère m'a raconté ma rage d'avoir à porter un costume de velours pour une réunion d'enfants alors que j'avais environ trois ans; c'était pourtant un costume d'un beau bleu avec un collet et des poignets blancs. Lorsque l'heure de la réunion arriva, j'étais complètement habillé et, à son grand mécontentement, je tenais mes bras à six pouces de distance de mon corps, les poignets serrés, et je disais seulement que c'était laid. Mon opinion n'a jamais changé bien que j'aie maintenant plus de 40 ans. »

« L'été dernier, alors que je courais les magasins pour m'acheter du tissu pour une robe, je me rendis au comptoir du velours; bien que j'aime la vue de ce matériel, je me disais, c'est ridicule, tu es adulte maintenant, sois brave, touche-le, ça ne mordra pas. Je pense que je suis restée là pendant deux minutes, essayant de me persuader que c'était vraiment un tissu très joli. J'étendis mes mains et me saisis d'un bon morceau de velours, mais l'effet fut exactement le même: grincement des dents! Une véritable horreur! N'est-ce pas ridicule? J'ai maintenant perdu tout espoir d'être capable d'aller au théâtre ou à une soirée dans une magnifique robe de velours. Bien sûr, si je visite des gens qui portent des vêtements de velours, je fais en sorte que le tissu ne vienne pas en contact avec ma main ou mon bras. »

Un adolescent détestait non seulement le velours, mais le suède, les balles de coton et les vêtements de peluche. « Lorsque je viens en contact avec une de ces fibres, c'est comme si j'avais des fourmis des pieds à la tête. J'ai seulement quinze ans et, quand j'étais jeune, ma mère n'avait pas idée de l'horreur que je ressentais quand elle m'habillait de velours ou de vêtements duveteux. J'ai même cessé de fumer parce que les filtres des cigarettes sont en quelque sorte veloutés et je ne puis supporter cela. »

« J'ai horreur de toucher à tout ce qui est poilu, comme le velours ou le nylon brossé, disait une autre femme. Je ne peux me rappeler depuis quand j'ai ce sentiment, mais je suis couturière et je ne peux rien faire avec ces tissus sans avoir la chair de poule et les cheveux droits sur la tête. Demandez-moi de coudre des tentures en velours et je refuserai. J'ai déjà reçu une robe de nuit en nylon brossé; lorsque je l'ai essayée, mon corps entier s'est engourdi presque complètement. »

Quelques lettres indiquaient que des aversions servaient de ligne de conduite à des familles entières: « Mon père n'accordait jamais le droit à ma mère de porter du velours puisqu'il ne pouvait pas tolérer cette texture quand il dansait avec elle. Ceci s'appliquait à tout ce qui ressemblait à du velours, de la peluche, du nylon brossé, etc... J'ai maintenant hérité de cette phobie. De plus, ma sœur de vingt-sept ans a le même dégoût; lorsqu'elle était bébé, elle détestait les jouets de peluche. Ce problème existe dans notre famille depuis trois générations, sans absolument aucune raison. »

Le suède

Un homme écrivit: « J'ai eu toute ma vie une aversion pour le suède ou des textures similaires. Si je frôle accidentellement un manteau en suède j'ai immédiatement la chair de poule, mes cheveux se hérissent, j'ai des frissons et je recule comme si j'avais été brûlé. Le seul fait de penser au suède me donne une démangeaison. Je n'ai jamais aimé jouer au tennis comme je l'aurais voulu à cause de la texture de la balle. Jouer aux cartes signifie pour moi me frotter le bout des doigts sur la nappe. Comme résultat, je ne joue pas aux cartes. Nettoyer un tapis avec un shampooing me fait grincer des dents et me donne des sueurs, non pas à cause de l'effort physique, mais à cause de la répugnance pour les touffes mouillées. Je ne peux pas essuyer une cuillère de bois mouillée, ce qui permet toujours à ma femme de me taquiner même après vingt ans de mariage. »

La laine mouillée

« Je ne peux supporter la sensation de la laine mouillée ou des produits synthétiques comme l'acrylique ou l'orlon; même après avoir lavé ces tissus, je ne peux même pas endurer de me toucher les mains avant qu'elles ne soient complètement sèches. Je grince des dents au point de mettre ma langue entre mes dents pour ne pas éprouver cette sensation. »

La ouate

Une autre femme tremblait tellement lorsqu'elle touchait à de la ouate, qu'elle décida d'abord de ne pas prendre son cours d'infirmière. « Puisque tous utilisent maintenant des pinces pour la plupart des bandages, j'ai fait une demande pour devenir infirmière. Au début, j'ai trouvé que l'irritation était assez sévère, mais comme la ouate était placée dans une solution froide comme l'alcool ou un nettoyant, cette incommodité disparut. Aujourd'hui, bien que je n'aime pas y toucher, je tremble beaucoup moins. »

Ce dégoût semblait présent dans toute une famille. « Mon mari ne peut tolérer de la ouate près de lui; mon fils a la même attitude et ma fille semblait avoir la même préoccupation lorsqu'elle était jeune. Pour elle, je laissais de petits morceaux de ouate dans la maison et ainsi je l'ai guérie, mais, l'autre jour, elle m'a rapporté que cette peur revenait à nouveau. Elle a maintenant vingt-sept ans, n'est-ce pas terrible? »

L'aversion pour la peau de certains fruits peut empêcher des gens de peler des pêches, ou ils doivent les faire peler par d'autres personnes. L'aversion peut devenir extrême. « J'ai une aversion prononcée et même très aiguë pour la peau des pêches et, à un moindre degré, pour celle des abricots. Voir quelqu'un qui mord dans une pêche produit en moi un dégoût immédiat; même après plusieurs heures, ce souvenir me fait frémir d'horreur. »

Le caoutchouc

« Enfant, je craignais d'avoir à jouer avec des ballons. Combien de fois ai-je dû essayer en pleurant de convaincre ma mère de ne pas me faire porter des bottes de caoutchouc. Je n'avais aucun problème à les porter à la condition que quelqu'un me les mette. La raison de cette antipathie pour les ballons et bottes de caoutchouc provient du fait que lorsque je touche à ces objets, j'ai la chair de poule et des frissons, mes dents se mettent à claquer et ma respiration s'accélère comme si j'avais été plongé dans de l'eau froide. Je peux réussir à toucher à ces choses quand c'est nécessaire pour mes propres enfants; ma réaction n'est pas aussi violente que lorsque j'étais enfant, mais je dois encore prendre une respiration profonde pour maîtriser mes frissons. »

Les lettres reçues par le docteur Price et son équipe décrivaient souvent plus qu'une aversion pour le toucher; plusieurs personnes étaient également fascinées par la surface qu'ils ne pouvaient pas toucher, surtout les personnes qui ne pouvaient pas toucher à des boutons brillants. Les aversions provoquent un sentiment d'horreur différent de la peur: grincements de dents, frissons, sensation de pâleur et de froideur, respiration accélérée, cheveux hérissés, sentiments déplaisants, parfois des nausées, mais pas vraiment une peur. A l'occasion, certains désirent se mouiller les doigts, les laver ou les couvrir avec de la crème. Quelques aversions s'aggravent lorsque la peau est rude ou quand les ongles sont mal coupés; il existe alors une sensation d'accrochage quand les doigts frôlent le dessus d'une surface.

Il est intéressant de constater que la sensation de grincement de dents ne semble pas dépendre du fait d'avoir ses propres dents. « La plupart des membres de ma famille souffraient de cette sorte de torture. Ma mère détestait les poêles à frire et les assiettes à tarte qu'on grattait avec une cuillère; elle rapportait qu'elle grinçait des dents alors qu'en fait elle portait deux dentiers. Un de mes frères détestait le bruit qui survient quand on coupe un bloc de sel ou quand on passe ses ongles sur un mur. Je déteste les enfant qui, avec leurs doigts, font crisser des ballons soufflés, et une plume qui grince sur le papier m'horripile. Je ne peux supporter de toucher à de la ouate qui me donne une impression désagréable sur les doigts. Je ne peux endurer la sensation de la paille de fer. Ma fille aînée s'exaspère lorsque je me lime les ongles et ma cadette déteste toucher du velours. »

Comme le docteur Price l'a souligné, les aversions sont plutôt des embêtements que de réels fardeaux, mais elles peuvent dans certains cas affecter le choix d'une carrière, comme le nursing ou l'enseignement, ou même le travail à la maison. Si votre épouse vous dit qu'elle ne peut laver la vaisselle à cause de son dégoût pour les poêles et les ustensiles, il est fort possible qu'elle ne vous joue pas la comédie. Cependant, il est très rare de retrouver des aversions atteignant l'intensité décrite dans cette dernière lettre.

« Nous avons un fils, James, huit ans, qui possède une liste sans cesse grandissante d'aversions tactiles et gustatives... Le tout débuta alors qu'il avait environ six ans. Il serait d'ailleurs plus facile de faire une liste des choses qui ne lui donnent pas de frissons... Il a en aversion tout matériel synthétique, plusieurs sortes de laine, de brosses, de papier, le son du saut à la corde, du lavage des planchers avec une brosse et même le toucher du sable. J'en perds la tête à cause de cette liste sans cesse grandissante et je ne sais jamais s'il pourra porter le vêtement que je viens de lui acheter. Il manifeste son aversion en devenant pâle, en se léchant les lèvres, en frissonnant et, dans des cas extrêmes, tous ses poils sont hérissés. Si cela augmente encore, il sera obligé d'aller à l'école complètement nu. Il est l'aîné de deux enfants et ma fille ne montre aucune aversion. Mon mari et moi, comme la plupart des gens, avons une ou deux aversions à des degrés beaucoup moindres. L'enfant est encore très attaché à un jouet en tissu, un chien en loques, qui lui donne beaucop de plaisir à toucher et à sentir. »

Cette poupée en chiffon nous amène aux fétiches qui sont à l'opposé des aversions et des phobies. Le fétiche procure un confort spécial chez certaines personnes; des exemples comprennent des jouets et des animaux en chiffon avec lesquels les enfants se promènent, de même que les talismans et des breloques que plusieurs adultes portent. Dans la bande dessinée *Peanuts*, Linus se promène habituellement avec son fétiche, sa couverture. Plusieurs enfants traînent avec eux leur couverture bien-aimée ou leur animal en peluche tellement usé que ce n'est plus qu'une vieille guenille crasseuse qui les suit partout. Ils demeurent si attachés à ces objets que bien souvent il est très difficile pour les mères de les leur enlever. Cette perte peut provoquer beaucoup de chagrin chez l'enfant.

Certains malades phobiques peuvent développer un attachement fétichiste à un objet qui diminue leur peur. Quelques-uns se sentent plus à l'aise en emportant avec eux une bouteille de sels au cas où ils perdraient connaissance; d'autres sont réconfortés en sachant qu'ils ont une bouteille de calmants dans leur poche, et cette présence les rassure même s'ils n'ont pas à prendre la médication.

Notes historiques

Les peurs n'ont pas beaucoup changé avec les siècles. Il y a près de deux mille ans, Hippocrate a décrit un homme qui avait une phobie des flûtes. Le soir, au cours d'un banquet, dès qu'il entendait la première note de flûte, il devenait terrifié malgré son indifférence pour la flûte durant la journée. Hippocrate donne une autre description d'un homme qui avait la phobie des hauteurs; celui-ci ne pouvait se rendre près d'un précipice, sur un pont ou même près d'un fossé peu profond. Plusieurs références aux phobies apparaissent dans des écrits historiques et, en 1621, Robert Burton décrit les effets de la peur dans son *Anatomie de la mélancolie*. « Plusieurs effets lamentables sont causés chez l'homme, comme devenir rouge, pâle, tremblant, plein de sueur... Ceux qui vivent dans la peur ne sont jamais libres, résolus, sécures ou joyeux, mais en douleurs continuelles... Il n'existe pas de plus grande misère, de torture ou de supplice que d'avoir peur. » Dans son livre, Burton mentionne la différence entre les émotions de la dépression et de la peur et décrit plusieurs personnages historiques qui avaient des peurs: Tullus et Démosthène avaient le trac et César Auguste ne pouvait pas rester dans l'obscurité.

Burton rapporte le cas d'un malade « qui était incapable de quitter seul son domicile par peur de s'évanouir ou de mourir. Il craignait aussi qu'à la moindre rencontre avec un étranger, celui-ci le volerait, le batterait ou le tuerait. Il ne pouvait laisser sa maison par peur de rencontrer le diable ou d'être malade... Il n'osait pas passer sur un pont, s'approcher d'une piscine, d'un ruisseau ou d'une pente raide, dormir dans une chambre où il y avait des poutres par peur de se pendre ou de s'étouffer. S'il assistait à un sermon, il avait peur de se mettre à parler fort et à dire des choses indécentes et insensées à son propre insu. S'il était enfermé dans une pièce, il avait peur de suffoquer et apportait des biscuits et de l'eau par peur d'être pris de panique ou d'être malade. S'il était dans une foule, au milieu d'une église, d'où il ne pouvait pas sortir facilement, il était fortement indisposé. »

A partir de cette époque, la description des phobies commença. Le roi d'Angleterre, Jacques Iᵉʳ, était tellement terrifié à la vue d'une épée dégainée, qu'un contemporain disait: « Elisabeth est le roi, Jacques Iᵉʳ est la reine. » Un général romain, Germanicus, ne pouvait tolérer la vue ou le chant des coqs. Lorsque la syphilis apparut en Europe, une phobie de cette maladie se développa. Un médecin du temps décrivit clairement la syphilophobie en 1921: « A l'apparition de la moindre éruption cutanée ou de la moindre douleur, les gens ressentent des appréhensions terribles; ils se rendent la vie insupportable et recherchent de l'aide... Et la majorité est fortement possédée par cette notion qu'il est beaucoup plus difficile pour un honnête médecin de traiter un mal imaginaire qu'une maladie réelle. »

Henri III de France et le duc de Schomberg avaient une phobie des chats, et un fameux général russe était si effrayé par les miroirs que l'impératrice Catherine prenait toujours soin de lui donner audience dans une pièce sans aucune glace. L'écrivain italien Manzoni avait si peur de quitter son domicile seul, ou de perdre connaissance, qu'il portait toujours sur lui une petite bouteille de vinaigre concentré. Feydeau, l'auteur français, ne sortait presque jamais durant la journée à cause d'une peur morbide de la clarté. Même Sigmund Freud, alors qu'il était dans la trentaine, avait peur de voyager et souffrait de symptômes d'anxiété.

L'anxiété faisant partie intégrante de notre vie, il nous faut apprendre à vivre avec elle. Ce livre décrit la plupart des tensions normales et anormales. La compréhension des principaux modèles d'anxiété aidera les gens à devenir de meilleurs juges de ce qu'ils expérimentent et leur permettra de savoir s'ils ont besoin d'aide. Dans la mesure du possible, nous rapporterons les mots mêmes des malades pour dépeindre leurs sentiments et leurs problèmes. La dernière partie du livre porte sur les différents traitements de l'anxiété que le malade peut s'administrer lui-même ou qui nécessitent l'assistance d'un thérapeute professionnel.

II Les tensions et les peurs normales

Comme les autres espèces, l'homme est programmé pour répondre à certaines situations qui suscitent l'anxiété et la peur. La capacité de ressentir ces émotions est constitutionnelle et vient probablement de l'instinct de conservation. Bien sûr, un intrépide envisagera des situations plus dangereuses, mais la survivance dépend d'un judicieux mélange de courage et de prudence. Il faut donc viser à un juste milieu entre la lâcheté d'une part et l'imprudence d'autre part. En général, la peur et l'anxiété naissent de l'interaction de trois influences: celles qui sont présentes à la naissance, celles qui dépendent de la maturation du système nerveux et celles qui se développent par apprentissage lors d'expériences individuelles et sociales. Le nourrisson prend beaucoup de temps à acquérir la maturation; ses réponses innées se modifient à mesure qu'il grandit, qu'il apprend par sa propre expérience et qu'il imite ses pairs.

La tendance persistante à réagir avec peur s'appelle la timidité. La timidité de certaines espèces animales comporte possiblement une origine génétique parce qu'elle augmente les chances de survivance. Les lapins sont plus timides que les tigres et certains lapins plus timides que d'autres. La même règle s'applique chez l'homme. Les jumeaux identiques tendent à se ressembler lorsqu'ils ont peur des étrangers au cours de leur première année de vie et les jumeaux adultes présentent habituellement le même nombre de symptômes névrotiques.

Par nature, l'être humain est préparé à développer certaines peurs

En général, toute situation peut provoquer de la peur autant chez l'homme que chez l'animal à un moment ou à un autre, mais certaines situations occasionnent plus de peur que d'autres. De plus, ces peurs peuvent survenir spontanément ou suivre une expérience traumatique. La plupart des stimuli portent sur des dangers réels et importants. A la naissance, les nourrissons sursautent déjà au bruit ou à tout stimulus nouveau, soudain et intense qui apparaît inopinément. La plupart des bébés évitent les hauteurs lorsqu'ils commencent à ramper. Entre six et douze mois, la majorité des enfants commencent à développer une peur des étrangers. Cette peur naît quand le bébé a appris à différencier les étrangers des membres de sa propre famille.

La peur des étrangers démontre bien le fait que la nouveauté, l'étrangeté et l'inconnu effraient plusieurs espèces. Le psychologue canadien Hebb a démontré comment les chimpanzés ont peur d'approcher d'un masque de plâtre ressemblant à un congénère décédé. Les jeunes enfants craignent les masques étranges ou autres objets non familiers, même s'il s'agit bien souvent d'objets qui diffèrent très légèrement de ce qu'ils ont l'habitude de voir. La sœur aînée d'une petite fille de trois ans avait apporté à la maison une perruque qu'elle utilisait dans une séance à l'école pour la montrer à ses parents. Elle la déposa dans une garderobe servant de remise à jouets. La cadette alla chercher des jouets et toucha accidentellement la perruque. Terrifiée en croyant que c'était un animal, elle se mit à pleurer, et cela dura un bon moment; elle développa une phobie des perruques qui persista pendant plusieurs années. Ces peurs sont par contre habituellement de courte durée chez les enfants.

Bien que la nouveauté puisse provoquer la peur, les nouveaux stimuli peuvent, en d'autres occasions, procurer du plaisir; ils peuvent être même fortement recherchés. De nouveaux modèles peuvent attirer et répugner tour à tour, créant ainsi un conflit entre des réflexes d'approche et d'esquive. Lorenz a donné une bonne description de cet état chez le corbeau: « Un jeune corbeau réagit d'abord avec des réponses de fuite lorsqu'il est confronté avec un nouvel objet: une caméra, une vieille bouteille, un putois empaillé, etc... Il volera alors vers le perchoir le plus élevé et, de cette position avantageuse, il regardera fixement l'objet en conservant pendant tout ce temps beaucoup de prudence et une attitude expressive d'une peur intense. Il s'approchera de l'objet par le côté, les ailes à moitié ouvertes, prêt à s'envoler de nouveau. Enfin, il piquera l'objet de son bec une seule fois et volera rapidement vers son perchoir. Si rien n'arrive, il répétera le même manège dans une séquence beaucoup plus rapide et avec beaucoup plus d'assurance. Si l'objet est un volatile, le corbeau perd sa peur en une fraction de seconde et commence immédiatement à poursuivre l'animal. Si l'animal attaque, le corbeau se placera derrière lui ou, si la charge n'est pas vraiment très forte, il perdra intérêt peu de temps après. Avec un objet inanimé, le corbeau tentera d'appliquer un certain nombre de mouvements instinctifs. Il attrapera l'objet avec une patte, le picorera, essaiera de le déchirer, insérera son bec dans les fissures et s'efforcera de les écarter en se servant de ses mâchoires avec force. Enfin, si l'objet n'est pas trop gros, le corbeau le transportera, le mettra dans un trou et le couvrira d'une substance peu visible. »

La terreur qu'inspirent des choses non familières à de jeunes enfants, surtout si ces objets rampent, a été remarquée chez mon propre fils alors qu'il avait deux ans et demi. A ce moment, il n'avait jamais vu de serpents et ne connaissait même pas le nom de cet animal. Le terrain était rocailleux, je l'avais transporté dans mes bras de l'automobile à la plage. Le sable avait séché et des milliers d'algues noirâtres d'une longueur de plus d'un pied couvraient le sol. Elle ressemblaient à des anguilles ou à de petits serpents morts. Des algues vertes flottaient également sur l'eau. Lorsque mon fils vit les algues sèches sur le sable il se mit immédiatement à pleurer très fort, me serra fortement en essayant de m'empêcher de m'asseoir sur le sable. Lorsque je touchai les algues, il poussa des cris stridents et refusa de faire comme moi. Sa panique augmenta lorsque les vagues poussèrent les algues plus près de nous ou lorsque je le tins au-dessus de l'eau pour lui montrer celles qui flottaient. Lentement, j'ai tenté de l'habituer aux algues sèches sur le sable, en jouant moi-même avec les herbes et en l'encourageant à faire de même. Ce n'est qu'une heure et demie après qu'il acceptait de s'asseoir sur le sable à un endroit où il n'y avait pas d'algues. Par la suite, il commença à saisir quelques algues et à les lancer au loin. Il refusait absolument d'aller près de l'eau. Le jour suivant, il toucha les algues avec un peu plus de cran, mais il était évidemment encore effrayé. Une semaine plus tard, il était capable de les lancer au loin, mais n'aimait toujours pas les tenir dans sa main.

Les mouvements saccadés ou rampants effraient les singes tout autant que les hommes. Cette constatation peut être à la base de la peur des serpents, particulièrement prononcée chez les enfants de deux à quatre ans. La peur des araignées tombe dans la même catégorie. La peur des animaux semble survenir environ aux mêmes âges, soit entre deux et quatre ans, et les animaux terrifient davantage les enfants s'ils avancent rapidement vers eux en sautant ou en les contournant.

De jeunes enfants manipulent souvent des animaux vivants sans aucune peur jusqu'à ce qu'ils voient les animaux avancer en courant ou foncer sur eux; cela les affolera immédiatement. Leur peur diminue aussitôt que l'animal prend une autre position. La peur est donc déclenchée par un mouvement particulier plutôt que par l'animal lui-même.

Une autre situation évoque habituellement de la peur chez les enfants aussi bien que chez les adultes; il s'agit du regard fixe. Dès les premiers mois, l'enfant porte beaucoup d'attention aux yeux. L'enfant au sein fixe son regard sur les yeux de sa mère. A l'âge de deux mois, il sourira à un masque mobile devant lui et qui a des yeux. Dès le bas âge, les enfants esquissent des yeux sur leurs dessins. Les yeux fixes peuvent induire une émotion intense chez des adultes sensibles au regard des autres; le fait d'être regardé s'avère un facteur important dans le déclenchement des phobies sociales.

Les adultes éprouvent la même répugnance des hauteurs déja apparente chez les jeunes enfants. La plupart d'entre nous avons été conscients du désir de se jeter en bas d'un précipice et du recul effectué par réflexe de protection. La peur des hauteurs devient fortement incommode pour les personnes qui demeurent dans des gratte-ciel. Plusieurs locataires se sentent incommodés dans de tels immeubles, surtout si les fenêtres vont du plancher au plafond. Le manque d'intimité, l'étourdissement lorsqu'ils regardent en bas par les grandes fenêtres et la luminosité causent partiellement ce malaise. Ces incommodités sont diminuées si l'on met des rideaux opaques aux fenêtres; cela assombrit la pièce et donne l'impression qu'elle est plus petite. Durant la journée, lorsque des réunions se tiennent dans ce type d'immeuble, plusieurs invités s'installent dans un coin noir de la pièce plutôt que de s'asseoir du côté le plus éclairé.

Une ménagère demeurant au 22e étage d'un immeuble à Londres a décrit le malaise produit par l'espace et la lumière:

« Lorsque mon mari se rendit compte de la vue magnifique, il était lyrique. Il disait que le soir, c'était comme dans un conte de fée. Lorsque nous avons des invités, durant la première demi-heure, ils regardent le paysage par les fenêtres. Quelques-uns sont étourdis cependant. Nous avons eu un ami, bâti comme un lutteur, le type très musclé, mais il était incapable de s'approcher des fenêtres. Il s'est tenu près du poêle toute la veillée. Je me sentais comme cela au début. Maintenant, je m'en aperçois uniquement lorsque je lave les fenêtres. Les fenêtres s'enlèvent pour le nettoyage, mais c'est mon mari qui doit le faire. J'en suis incapable, car j'ai l'estomac à l'envers.

« Au début, nous avions placé les lits des enfants dans la petite chambre, mais elle était si petite que nous avions dû mettre les lits un par-dessus l'autre près de la fenêtre. Ma fille aînée refusa de dormir dans le lit du haut; elle put dormir avec mon autre enfant dans le lit du bas. Je ne savais pas ce qui n'allait pas, mais un jour je me suis levée et j'ai constaté ce qui pouvait la terrifier. C'était comme si on était sur le bord d'un précipice, avec seulement une vitre entre vous et tout cet espace. »

Un autre locataire d'un immeuble en hauteur commenta:

« Quelque chose me donne la sensation de ne pas être vraiment à la maison. Si vous fermez les rideaux vous êtes bien, mais vous êtes complètement isolés jusqu'au lendemain matin. »

Il est intéressant d'enregistrer les observations faites par un psychologue anglais, Valentine, sur les peurs perçues chez ses cinq jeunes enfants observés de façon méticuleuse pendant plus de 10 ans. De l'âge de 2 semaines à quelques mois, Valentine a remarqué que les sons stridents faisaient sursauter ses enfants. Ceci se vérifia davantage pour les sons nouveaux. Les peurs des objets étranges commencèrent après la première année et, entre l'âge de un et trois ans, la plupart de ses enfants eurent peur de la mer. Cette peur ne pouvait pas avoir été apprise ou suggérée puisque Valentine accompagnait quatre de ses cinq enfants lorsque ceux-ci virent la mer pour la première fois. Les enfants furent encouragés à aimer la mer et à s'y baigner. Leur seule expérience de l'eau avait été jusque-là dans leur bain, ce qu'ils aimaient particulièrement. A partir de l'âge d'un an, plusieurs de ses enfants eurent peur des animaux sans jamais avoir été victimes d'expérience antérieure déplaisante. Ils avaient même, à un plus jeune âge, montré une certaine familiarité et fait preuve d'aisance avec les animaux. La peur de la noirceur apparut seulement chez deux de ses enfants à l'âge de cinq ans.

La peur varia grandement d'un enfant à l'autre. Tandis que l'un d'entre eux ne manifesta jamais aucune peur, les autres enfants y furent souvent sujets. Lorsqu'ils avaient un compagnon qui leur inspirait confiance, leur peur diminuait de beaucoup. Aucune peur ne survenait d'emblée sous l'action d'un stimulus particulier. Le degré variait selon la timidité globale de l'enfant, la présence d'un compagnon, les détails du stimulus et la condition de l'enfant à ce moment-là.

Lorsque l'enfant grandit, ses expériences modifient grandement ses mécanismes innés qui déclenchent originellement la peur de sorte que, chez l'adulte, les traces de ces mécanismes innés sont largement atténués par un comportement appris.

Certaines peurs chez les enfants sont modelées sur celles de leurs parents. Lorsqu'un parent a une phobie, il est fort probable que l'enfant éprouvera la même phobie. Dans une situation anxiogène, les enfants ont l'habitude d'observer les adultes qui sont avec eux à ce moment-là. Si l'adulte exprime la peur, l'enfant peut alors la développer en lui de façon très rapide. Par exemple, une mère nourrissait son bébé de dix-huit mois assis dans une chaise haute quand soudainement une chauve-souris entra dans la maison. La mère, prise de panique, traîna son enfant hors de la chaise en lui tirant la jambe et sortit de la pièce en criant et en égratignant sa petite fille sur tout le corps. La chaise haute fut renversée et la vaisselle éclata en morceaux. Après cet événement, la petite fille manifesta une peur des objets volants qui persista à l'âge adulte et se traduisit par une phobie des chenilles et des papillons. Bien qu'une peur puisse servir de modèle à une phobie, ceci n'est pas fréquent et seulement environ un sixième des adultes développent une phobie similaire à celle de leurs parents.

La plupart des enfants sont sujets à des peurs à un moment ou à un autre, mais les phobies vraiment inhibitrices sont plutôt rares. En général, les filles tendent à manifester plus de peurs que les garçons. Les peurs décroissent généralement après la puberté. Elles se modifient également selon l'évolution de l'enfant et elles apparaissent et disparaissent sans raison précise. La peur des animaux se retrouve davantage entre les âges de deux et quatre ans, mais, entre l'âge de quatre et six ans, la crainte de la noirceur et des créatures imaginaires, tels les fantômes, est plus commune. Après l'âge de six ans, les enfants semblent mieux résister aux phobies des animaux, qui diminuent d'ailleurs très rapidement chez les garçons et les filles entre les âges de neuf et onze ans. D'autres peurs relativement fréquentes chez l'enfant incluent la peur du vent, de la pluie, des éclairs et du tonnerre, des automobiles et des trains.

Les peurs des enfants sont inconstantes

Les peurs varient très souvent chez les enfants, sans raison apparente, et s'éteignent parfois mystérieusement sans autre contact avec les situations phobiques. Lorsque les enfants régressent au cours d'une maladie, certaines peurs oubliées peuvent réapparaître pour disparaître à nouveau quand la santé de l'enfant s'améliore. La constance des âges au cours desquels certaines peurs vont et viennent s'explique de différentes façons. La peur des objets fréquemment rencontrés par la plupart des enfants de tout âge, par exemple des animaux et des oiseaux, peut refléter en partie des changements parallèles à la maturation de l'enfant. Des expériences avec des bébés singes ont démontré leur susceptibilité à craindre la présence d'un autre singe adulte quand ils avaient entre deux et quatre mois.

Certaines peurs débutent à un âge particulier simplement parce qu'à cet âge l'enfant est exposé à une situation précise; les phobies scolaires démontrent ce point. Lorsque les enfants affrontent une situation totalement nouvelle, ils expriment généralement de l'anxiété, mais ils s'adaptent rapidement. Une certaine crainte de l'école est de règle au cours du premier semestre, ou encore lors d'un changement d'école, mais un refus complet d'aller à l'école à cause de la peur se voit rarement.

Habituellement, un enfant développe la peur d'un objet immédiatement après un traumatisme, et certains stimuli déclenchent des peurs plus rapidement que d'autres. Ainsi, une petite fille de sept ans entendant un bruissement de feuilles dans un parc crut que c'était un serpent et se sauva en courant, s'abstenant d'en parler à quiconque. Une heure plus tard, elle se coinça la main dans la portière de l'automobile de ses parents qui durent lui bander la main. Plus tard, elle raconta cette histoire de serpent à ses parents et elle devint de plus en plus effrayée face à ces animaux. Dans le dessein de la protéger, ses parents commirent l'erreur de ne plus parler de cette histoire; ils éteignaient la télévision et enlevaient des journaux et des revues les articles sur les serpents, de sorte que l'enfant put ainsi éviter tout contact avec les reptiles. Elle maintint ainsi sa phobie des serpents jusqu'à l'âge de vingt ans. En fait, cette jeune fille a beaucoup plus souffert de la blessure causée par la portière d'auto; et cependant, elle devint phobique des serpents plutôt que des portières d'automobile. La raison en est peut être que le cerveau humain est programmé pour développer facilement la peur face à des objets mobiles plutôt qu'à des objets artificiels comme des portières d'automobile. Même si nous avons des expériences douloureuses avec des automobiles, des briques, des herbes, des animaux et des bicyclettes, nous fixerons probablement davantage nos peurs sur les animaux. Certains stimuli semblent particulièrement prédisposer aux peurs.

L'histoire suivante souligne comment une aversion est reliée plus facilement à certains stimuli plutôt qu'à d'autres. Un Arabe venant d'Israël conduisit par erreur son camion sur le côté libanais de la frontière; il fut immédiatement arrêté par les douaniers libanais, interrogé et torturé. Attaché à une chaise, il reçut des coups sur la tête et eut des dents cassées. L'interrogatoire dura trois jours; pendant tout ce temps, il refusa complètement de manger par crainte d'être empoisonné et n'accepta que de boire de l'eau. Après trois jours, on lui permit de retourner dans sa famille en Israël. Il nota alors son incapacité à manger de la nourriture solide sans avoir des nausées et des haut-le-cœur, et il dut se confiner à une diète liquide. Même quand il eut des prothèses dentaires, les vomissements persistèrent au point qu'il fallut les lui enlever. Son incapacité à manger des aliments solides continua pendant un an et il perdit beaucoup de poids. De façon étonnante, cet homme n'a pas développé de phobie pour ce qui est de conduire des camions ou encore de s'asseoir sur une chaise. Ces objets ne s'identifient pas à des éléments occasionnant des craintes. Cependant, ses gencives douloureuses et son refus d'aliments solides pendant quelques jours ont plutôt suscité une exagération du réflexe de vomissement que nous pouvons tous provoquer si nous nous mettons le doigt dans l'arrière-gorge. Chez lui, le stimulus a déclenché une aversion marquée pour les aliments solides.

Au cours de la vie adulte, plusieurs situations produisent de l'anxiété. Les examens et d'autres tests rendent bien souvent les jeunes gens si tendus qu'ils réussissent mal leurs examens, ou échouent malgré leur compétence. On retrouve souvent le trac chez les acteurs, les orateurs et même parfois chez les politiciens expérimentés. La peur et l'anxiété accompagnent régulièrement les situations stressantes comme lors des combats durant la guerre ou lors d'exercices de parachutisme. La plupart des gens reçoivent des traitements médicaux et dentaires chaque année et, avant une opération, il est parfaitement normal de se sentir anxieux. L'anxiété atteint son point maximum dans la salle d'opération. Par contre, elle tend à diminuer rapidement après un traitement chez le dentiste, mais beaucoup plus lentement s'il y a eu intervention chirurgicale. Plusieurs personnes appréhendent tellement leur visite chez le dentiste qu'elles espacent leurs rendez-vous. La crainte des médecins et des dentistes s'accentue de façon telle que certaines personnes ont même peur des ambulances ou des hôpitaux; elles évitent la vue de ces objets et ferment même l'appareil de télévision lorsqu'il y a un reportage sur la médecine.

L'anxiété de séparation, c'est-à-dire la menace de la perte d'un être aimé, représente aussi une réponse normale au stress. Le chagrin caractérise une forme spéciale de réaction de séparation. La plupart des jeunes mammifères montrent une anxiété de séparation lorsqu'ils sont séparés d'une figure familière. Lorsqu'un groupe est dissocié, ses membres tentent éventuellement de se regrouper à nouveau et ils deviennent anxieux si les retrouvailles sont retardées ou impossibles. L'anxiété de séparation s'identifie donc à un comportement d'attachement qui a été perturbé. Plus un enfant est placé dans un environnement étrange, plus il devient anxieux. Les enfants admis à l'hôpital sont réconfortés par la présence de leurs jouets familiers en dépit du contexte nouveau. Lorsqu'ils retournent à la maison, les gens et les événements leur rappelant cette période réveillent bien souvent l'anxiété à nouveau.

Chez les mammifères, le premier lien se crée habituellement entre la mère et l'enfant. Les deux se tiennent l'un près de l'autre et, s'ils sont séparés, ils tentent de se rapprocher de nouveau. La séparation par un troisième partenaire d'une paire étroitement liée ne fonctionne habituellement pas; le plus fort attaque l'intrus alors que le plus faible se cache ou s'accroche au partenaire le plus fort. Si les partenaires sont séparés et ne peuvent se retrouver de nouveau, ils deviennent angoissés et éprouvent une anxiété de séparation. Un bébé présente un comportement différent en présence ou en l'absence de sa mère à cause de son attachement pour elle. Lorsque la mère est présente, l'enfant est relaxé et aventureux; en son absence, il est tendu et inerte. Le bébé, comme le singe, se recroqueville sur le plancher et pleure quand il est séparé de sa mère. Chez l'homme, le comportement de liaison avec un autre s'accompagne souvent de sentiments d'amour ou de dépendance.

A mesure que les enfants grandissent, ils apprennent graduellement à se détacher de leurs parents sans beaucoup de problèmes. Ils peuvent s'ennuyer de la maison et verser quelques larmes lors de leurs premières vacances à l'étranger, mais cette détresse disparaît rapidement et ils deviennent de plus en plus indépendants. Laisser la maison pendant une certaine période constitue une étape nécessaire à la croissance et prépare le départ du domicile familial. L'absence de ces périodes d'essai peut conduire à une anxiété de séparation dans la vie adulte. Une forme extrême se retrouve chez cette jeune mariée de vingt ans qui ne s'était jamais séparée de sa mère pour plus d'une journée sauf une fois, alors que sa mère était allée en vacances pour deux semaines; La malade lui avait alors téléphoné sans arrêt. Elle éprouvait une anxiété de séparation très sévère depuis son enfance, insistait pour demeurer près de sa mère le plus souvent possible et, quand elle en était empêchée, elle lui téléphonait fréquemment. Lors d'un examen à la clinique externe de l'hôpital, elle voulut savoir exactement où serait sa mère à la fin du rendez-vous d'une durée d'une heure. A l'âge de douze ans, elle était allée en vacances avec une amie, à cent milles de la maison, et, en proie à une vive anxiété, elle avait téléphoné à sa mère plusieurs fois par jour. Incapable de vivre sans sa mère, elle revint à la maison après quelques jours. Elle détestait demeurer seule à la maison et évitait les ascenseurs. Après son mariage, elle continua à demeurer chez sa mère avec son mari et ses deux enfants. Par chance, ces cas extrêmes d'anxiété de séparation sont rares.

Réactions normales à la mort

L'horreur de la mort existe chez la plupart des créatures. La crainte ne s'arrête pas nécessairement au processus lui-même, mais repose plutôt sur la fin de toute opportunité pour quiconque d'atteindre des buts et de poursuivre des plaisirs.

Les enfants en général parlent assez librement de la mort et n'évitent habituellement pas le sujet. Les adolescents tendent à être beaucoup plus circonspects et, chez les Occidentaux, la mort devient souvent sujet fortement tabou. Habituellement on s'abstient de soulever la question en présence des proches. Nos verbalisations sur la mort s'expriment par des euphémismes comme: « trépasser », « aller au ciel », « laisser sa vie », « mettre au trou », « retourner en poussière » ou « manger les pissenlits par la racine ». Dans plusieurs religions, les cérémonies mortuaires adoucissent la perte d'un être cher en mettant l'accent sur le contact continuel avec la personne décédée que l'on suppose au ciel et que l'on peut atteindre par des moyens spirituels. La vision américaine de la mort nie fortement la finalité du deuil. Cette négation sert à diminuer l'anxiété causée par la mort.

Avec l'âge, beaucoup plus de gens se résignent à l'inévitable et la peur de la mort est moins commune pour les personnes au-dessus de soixante ans que l'on peut le supposer. Chez des malades à l'article de la mort, un chercheur a noté que moins d'un tiers des sujets au-dessus de soixante ans étaient très anxieux comparativement aux deux autres tiers âgés de moins de cinquante ans. Ceci est compréhensible puisque la mort en bas âge détruit beaucoup d'espoirs et d'expectatives. Des mères et des pères avec des enfants encore jeunes appréhendent davantage leur fin prochaine.

L'anxiété plus grande retrouvée chez de jeunes mourants peut être en partie causée par la façon dont ils meurent. Des douleurs persistantes, des nausées, des vomissements, des problèmes respiratoires peuvent troubler davantage le malade; ces facteurs sont beaucoup plus fréquents chez les jeunes adultes affectés de maladies chroniques et de malaises physiques importants que chez les gens plus âgés.

Néanmoins, le processus de la mort est souvent parfaitement confortable. Un fameux médecin, William Hunter, disait au seuil de sa mort: « Si j'avais assez de forces pour tenir une plume, j'écrirais combien il est facile et plaisant de mourir. » Les observateurs peuvent facilement penser qu'une personne mourante est beaucoup plus souffrante qu'elle ne l'est en réalité. Plusieurs malades semi-conscients ne réalisent pas ce qui leur arrive. La mort est beaucoup plus troublante pour les observateurs affligés que pour le mourant.

Après le décès, le cadavre peut provoquer une nouvelle peur. Certaines cultures entretiennent des tabous très ancrés en interdisant à quiconque de s'approcher d'un cadavre sous prétexte que des esprits maléfiques peuvent s'en dégager. Ces gens croient que des fantômes et des démons se promènent autour du cadavre et du tombeau. Plusieurs pièces de théâtre utilisent ces croyances dans leurs énigmes. Dans Shakespeare, l'esprit de Banquo poursuit son assassin Macbeth alors que l'esprit du père de Hamlet joue un rôle important au début de la pièce.

L'anxiété face aux cadavres est centrée sur la modification du corps au moment de la mort et durant la décomposition. Lorsque les gens croient en une vie future, la défiguration que cause la mort menace cette promesse. Différentes étapes compliquées caractérisent certaines cultures qui désirent s'assurer de ne pas désavantager la résurrection. Le cadavre est embaumé pour préserver sa forme; des aliments, des bijoux et des contenants sont placés dans le tombeau et des sorties sont également prévues dans la fosse. Les grandes pyramides d'Egypte témoignent de la croyance des pharaons en l'au-delà. Ces précautions expliquent la relation étroite entre l'anxiété face à la mort et la fin de certaines activités. Des valeurs nous portent à croire que nous continuons d'exister après la mort.

La croyance religieuse peut modifier le degré d'anxiété ressentie par quiconque face à la mort. Cependant, la confiance que l'on a dans ces croyances s'avère plus importante que l'existence des croyances elles-mêmes. A cet effet, les agnostiques sont moins anxieux que les pratiquants chaleureux.

L'anxiété augmente à cause de l'incertitude du futur. Des mourants peuvent espérer et se sentir très appréhensifs jusqu'à ce qu'ils sachent la vérité. L'anxiété peut alors diminuer et être remplacée pendant un certain temps par des éléments dépressifs qui s'estompent cependant à la longue. Cette mélancolie se manifeste comme une réaction de deuil lorsque le malade réalise la perte de son propre futur.

Certaines personnes ont tellement peur de mourir qu'elles évitent par tous les moyens de connaître leur état de santé. Même si elles apprennent la vérité, elles l'oublient immédiatement ou la nient complètement. Cette négation s'avère parfois inefficace et le malade peut alors sombrer dans une détresse aiguë. Aucune règle ne prévaut pour savoir si l'on doit cacher ou dire la vérité aux malades. Nous devons décider à la lumière des réponses antérieures à d'autres stress, de la stabilité de la personnalité et de la volonté véritable du malade de connaître ou d'ignorer sa situation réelle.

Les réactions de deuil sont une forme spéciale d'anxiété de séparation. Généralement, l'acceptation de la mort d'une personne aimée requiert un certain temps car l'anxiété de séparation demeure très marquée. Les gens languissent pour la personne décédée; c'est ce qu'on appelle les angoisses de la mort. Des pleurs et une recherche de la personne aimée surgissent. L'être affligé se promène sans but, pense sans cesse au défunt, recherche les stimuli qui rappellent son souvenir et ignore les autres choses. Après les échecs répétés pour retrouver la personne décédée, l'intensité de la réaction de deuil diminue graduellement jusqu'à ce que l'attachement à cette personne soit finalement complètement dénoué.

La douleur provoquée par un deuil résulte en partie de la dislocation des rôles entre la personne décédée et ses proches. La ménagère ressent particulièrement le deuil de son mari au moment précis où celui-ci avait l'habitude de revenir de son travail. Peu de temps après le décès, les membres de la famille du défunt repassent tant et plus dans leur esprit tous les aspects de leur vie quotidienne avec la personne décédée. Ces pensées sont généralement douloureuses. Après un moment, la famille cesse ses tentatives avortées d'interagir avec le défunt et développe de nouveaux liens avec d'autres personnes.

Bien que chaque adulte perde à un moment donné un ami proche ou un parent, il existe peu d'études systématiques sur les réactions de deuil. Une des meilleures études sur le sujet a été faite par un psychiatre de Londres, le docteur Colin Parkes; il est intéressant de rapporter ses observations de façon détaillée. Il a interviewé vingt-deux veuves âgées de moins de soixante-cinq ans et ce, au moins à cinq reprises au cours des treize mois postérieurs au décès de leurs époux. La plupart de ces femmes avaient été incapables d'accepter des avertissements antérieurs sur le décès imminent de leurs maris. Quand leurs époux décédèrent, la réaction la plus fréquente en fut une de torpeur, bien qu'une grande tristesse précéda parfois cette réaction. « J'ai soudainement éclaté. J'étais consciente que je gémissais et je savais que c'était moi. Je disais que je l'aimais. Je savais qu'il était parti, mais je continuais à lui parler. » Elle se rendit à la salle de bain et s'efforça de vomir; la torpeur diminua un peu. « Je me suis sentie engourdie, mais solide pour une semaine. C'est une bénédiction... Tout devient dur à l'intérieur de vous comme un poids lourd. » Une autre veuve se sentit « Comme dans un rêve... Je ne pouvais pas le prendre... Je ne pouvais pas y croire. »

Parmi ces femmes, seize d'entre elles eurent au début des difficultés à accepter le décès de leurs maris. « Il y avait tellement à faire, mais je me sentais incapable de le faire, pour personne, pas pour lui, voyez-vous. Je ne pouvais pas le prendre. » « Il doit y avoir une erreur. » « Je ne le croyais pas jusqu'à ce que je le voie le lundi, soit quatre jours plus tard. » « Dans ma tête c'était impossible... Cela ne semblait pas réel. » Même une année plus tard, treize veuves éprouvaient encore, par moments, l'irréalité de la mort de leurs maris; les sensations d'étourdissements ou d'engourdissements étaient par contre de courte durée.

Dans les premières phases du deuil, des femmes pleuraient souvent, mais parfois certaines d'entre elles étaient en colère ou même euphoriques. Une veuve semblait assez calme au début. « J'ai regardé ses yeux et comme il me regardait, quelque chose est survenu entre nous. Comme si quelque chose était entré en moi. J'ai senti une chaleur à l'intérieur, je ne suis plus intéressée par la vie dans le monde. Cela est une sorte de sentiment religieux... Je me sens grosse comme une maison. Je remplis la pièce. » Elle pleura plusieurs fois et essaya même de se suicider à un moment donné. Une autre femme réagit avec colère en disant: « Pourquoi m'a-t-il fait cela? » Durant les quelques jours suivants, elle se tint très occupée. Alors, quatre jours plus tard, au crépuscule: « Quelque chose est subitement entré en moi, c'était comme une invasion, une présence m'a presque poussée en dehors du lit. C'était mon mari qui m'écrasait terriblement. Cet état fut suivi par une série d'images ressemblant à des photos de figures. » A ce moment, elle n'était pas certaine d'avoir rêvé. Cela provoqua une sensation d'engourdissement qui dura deux semaines.

Au cours du premier mois après un deuil, et également plus tard, des crises de panique sont fréquentes. A plusieurs reprises durant le premier mois, madame Jones sortit en courant de son domicile et se réfugia chez des voisins. Elle se sentait tellement fragile que: « si quelqu'un m'avait donné une bonne gifle je me serais décomposée en mille miettes. » Elle évita de penser à la mort de son mari: « Si je me laisse aller à penser à la mort de Bob, je serai vaincue. Je ne pourrai affronter cela sans devenir folle. » Lorsque des événements créèrent chez elle la possibilité d'oublier la mort de son mari, elle devint désespérée. Ces paniques diminuèrent graduellement durant l'année, mais, même à la fin de l'année, elle était encore sujette à des paniques occasionnelles. Les réactions des individus face à la mort d'un être aimé diffèrent énormément. Des périodes de détresse alternent avec des périodes d'engourdissement ou de travail infatigable. Ces veuves essayèrent d'écarter la douleur ou la sensation de la perte et lorsqu'elles en étaient incapables, elle se sentaient écrasées.

Habituellement, les engourdissements et la torpeur se terminaient après environ une semaine. A ce point, la détresse s'accentuait. Plusieurs affirment que la réaction de deuil ne peut pas être retardée de façon permanente; une attente indue ou une réaction tardive ne fait qu'augmenter la détresse qui éclatera de toute façon à un moment donné. Comme Shakespeare l'a écrit dans Macbeth: « Une peine inaudible mine le cœur blessé et finalement celui-ci se brise. » Parmi les veuves interviewées par Parkes, cette affirmation se révélait véridique jusqu'à un certain point.

Lorsque la torpeur cesse, l'angoisse d'un attachement intense pour le défunt commence. Les veuves deviennent tourmentées par le souvenir du défunt, regardent tant et plus les endroits et les choses associés à leur époux décédé et tentent de retrouver des visions et des sons suggérant leur présence. Elles pleurent et ne prennent aucun repos. Un psychiatre de Boston, Lindemann, déclara ce qui suit sur cette phase du deuil: « Il y a une accélération du langage, spécialement lorsque c'est à propos du défunt. L'agitation surgit, l'incapacité de demeurer immobile se manifeste, les mouvements sont faits sans but précis et une recherche continuelle d'activités s'installe. Il existe en même temps un manque de capacité d'amorcer et de maintenir une activité normale. »

Les veuves londoniennes interviewées pensaient constamment à leurs maris et les imaginaient à leur place habituelle à la maison. « Je peux presque sentir sa peau ou toucher ses mains. » Durant la nuit ou alors qu'elle était relaxée durant la journée, cette veuve se remémorait les événements passés auxquels avait participé son époux. Ceci survenait surtout au début du veuvage et encore dans les jours précédant l'anniversaire du décès. La maladie fatale du mari hante certaines femmes: « C'est comme si je passais moi-même à travers cette maladie. »

Parfois des souvenirs heureux sont remémorés. « Il y a un an aujourd'hui, c'était le mariage de la princesse Alexandra. Je lui avais dit de ne pas oublier le mariage. Lorsque je suis entrée, je lui ai demandé s'il avait regardé le mariage à la télévision. Il me répondit qu'il avait oublié. Nous l'avons regardé à nouveau durant la soirée, mais ses yeux étaient fermés. Par la suite, il écrivit une carte à sa sœur. Je peux voir de façon si vivide que je pourrais vous dire exactement tout ce qu'il a fait durant ces jours. »

Presque la moitié des veuves étaient attirées par des endroits leur rappelant leurs époux. Elles visitaient des lieux fréquentés par ceux-ci et se rendaient au cimetière ou à l'hôpital « pour être près de lui ». La plupart des femmes gardaient précieusement des objets ayant appartenu à leurs maris bien que souvent elles s'étaient départies d'articles, de vêtements ou de photographies leur provoquant trop de douleurs. A mesure que l'année avançait, cette tendance s'estompa graduellement. Certains objets et endroits familiers qui les réconfortaient perdirent peu à peu de l'intérêt de sorte qu'une pièce rappelant fortement le mari pouvait être à nouveau redécorée et réaménagée. Au même moment, certaines choses éliminées peu après la mort parce qu'elles évoquaient trop de douleurs furent ressorties à nouveau; par exemple, les photographies furent replacées sur les murs.

Fréquemment, ces veuves voyaient, entendaient ou sentaient leur mari près d'elles, surtout au cours du premier mois après le décès. Des sons dans la maison signifiaient pour elles la présence du mari ou elles croyaient le voir dans la rue et réalisaient ensuite leur erreur. Une veuve a vu son mari revenir à la maison en passant par la porte arrière; une autre fut fortement troublée le jour de Noël par une hallucination de son mari assis dans un fauteuil. A la lumière de ces expériences, nous pouvons comprendre facilement la croyance aux esprits. Dans Shakespeare, les esprits de Banquo ou du père de Hamlet reflètent bien ce phénomène.

Les pleurs font parties intégrantes de la réaction de deuil. Un mois après les funérailles, seize veuves ont pleuré au cours de la première entrevue. Lors des entrevues ultérieures, elles pleurèrent plus sporadiquement. Bien que les pleurs soient associés à la douleur du deuil, une veuve peut difficilement expliquer pourquoi elle pleure.

Une autre expression méconnue du deuil est l'irritabilité et la colère. Treize veuves dans cet état ressentaient que le monde était devenu beaucoup plus incertain et dangereux. A l'occasion, la colère était directement dirigée contre le défunt: « Pourquoi m'a-t-il fait cela? » A d'autres moments, elles attaquaient les médecins: « Je pense encore à la façon dont les médecins se sont conduits », dit une femme, et une autre exprima beaucoup d'amertume envers une infirmière qui avait fait mal à son mari en déchirant un bandage. A mesure que le temps passe, cette colère irrationnelle disparaît. Une veuve était très fâchée contre le personnel hospitalier au moment du deuil, mais lorsqu'il lui fut demandé à la fin de l'année si elle avait les mêmes sentiments, elle répondit par la négative en ajoutant cependant: « Je souhaiterais avoir quelqu'un à blâmer. »

La culpabilité et les reproches sont également fréquents à la suite d'un deuil. Les mêmes femmes commentèrent: « Qu'est-ce que j'aurais pu faire? » « Quand j'y pense, ai-je bien fait? » Les sentiments de reproches s'attardent sur des sujets de moindre importance. Un an après la mort de son mari, une veuve rapporta qu'elle se sentait coupable parce qu'elle n'avait jamais fait à son mari un « pudding au pain ». Plus souvent qu'autrement, la raison du reproche était plus sérieuse bien que douteuse quant à savoir si la veuve était à blâmer: par exemple, l'une d'elle avait supporté son mari dans son refus d'accepter une opération palliative alors qu'une autre se reprochait de ne pas avoir encouragé les talents littéraires de son mari et tentait de s'amender en essayant de faire publier ses poèmes.

Plusieurs épouses crurent qu'elles avaient mal assisté leur mari durant la dernière phase de leur maladie: « Je semblais m'éloigner de lui. Il n'était plus l'homme que j'avais épousé. Lorsque j'ai essayé de partager sa douleur, c'était si terrible que je n'ai pas pu. J'aurais voulu faire beaucoup plus. Jamais je n'aurais pu être à la hauteur de la situation car il était tellement sans ressource. » Quelques veuves se reprochèrent leur attitude après le décès de leur mari. Se souvenant de son irritabilité, une femme rapporta: « Je suis furieuse contre moi-même. »

La nervosité et l'hyperactivité sont également une expression de la réaction de deuil. Les veuves se plaignirent des sentiments de bougeotte ou d'étranglement: « Je sens une forte agitation à l'intérieur de moi-même. » « Je ne peux m'arrêter une seconde. » « Je suis à bout de force. » « Je ne peux garder mon attention sur une seule chose. » « Même des choses stupides me troublent. » Lorsque ces femmes présentaient de la tension, elles pouvaient trembler et bégayer à l'occasion. Agitées, elles avaient tendance, à l'occasion, à devenir rapidement soupe au lait ou elles étaient très actives. « Je pense que si je n'avais pas travaillé tout le temps, j'aurais fait une dépression nerveuse », rapporta l'une d'elles. D'ailleurs, durant les entrevues faites à son domicile, cette personne ne pouvait même pas arrêter de travailler lorsqu'elle parlait avec l'intervieweur; elle était facilement distraite, irritable et tendue. A la fin de l'année, elle rapporta « Je vis pour rien, tout me semble tellement futile. »

Les fluctuations du chagrin

La détresse causée par le deuil n'est pas continuelle; elle s'atténue par moments et la personne affligée peut devenir relativement calme après des épisodes de douleur intense. Jusqu'à un certain point, le contrôle de la douleur s'effectue si l'on se prive de voir des gens et des endroits associés au défunt, par le refus d'admettre la réalité et par la distraction. Ainsi, madame Smith avait subitement perdu son mari à la suite d'une hémorragie cérébrale. Elle eut beaucoup de difficulté à croire qu'il était mort et a beaucoup pleuré au cours de la première semaine. Elle put par contre cesser de pleurer en s'occupant à d'autres choses. Elle évita d'aller dans la chambre de son mari et persuada son fils de se débarrasser de la plupart des objets du défunt. Un mois après le décès de son époux, à l'entrevue, elle arrêta de parler à plusieurs reprises par crainte de pleurer. Un an plus tard, elle était beaucoup plus calme, mais fuyait encore tout ce qui pouvait lui rappeler son mari et détestait se rendre au cimetière. « S'il revient dans mon esprit, j'essaie de penser à autre chose. »

Il est également commun d'idéaliser le défunt. Madame White, cinquante-neuf ans, s'était querellée fréquemment avec son mari alcoolique. Elle l'avait laissé quelques fois pendant leur vie conjugale et, au cours de la première entrevue, elle remarqua: « Je ne devrais pas dire cela, mais c'est beaucoup plus calme depuis son départ. » Au cours de sa première année de veuvage, ses deux filles cadettes se marièrent et quittèrent la maison. Elle se retrouva alors seule, devint triste et déprimée et elle se mit à parler de façon nostalgique du bon vieux temps. Lors de la dernière entrevue, elle avait oublié ses problèmes conjugaux et disait qu'elle souhaitait se remarier à nouveau avec quelqu'un de gentil, « comme mon mari ».

Après un décès, plusieurs personnes s'identifient au défunt beaucoup plus que durant son vivant. « J'aime les choses que mon mari avait l'habitude de faire... Je pense à ce qu'il dirait ou ferait » disait madame Black. Elle rapportait aussi que son plaisir à regarder les courses ou le sport à la télévision lui venait de son mari. « Je prends goût à cette activité parce qu'il aimait cela. C'est un sentiment très étrange... Ma jeune sœur me déclarait: 'Tu ressembles à Fred de plus en plus...' Elle me dit quelque chose à propos des aliments et je lui répondis que je ne pouvais pas toucher à cela; elle rétorqua: 'Ne sois pas stupide, tu ressembles à Fred...' Il y a plusieurs choses que je fais maintenant que je ne pouvais pas faire avant... Je suppose qu'il me guide la plupart du temps. »

Moins souvent, certaines personnes peuvent développer des symptômes identiques à ceux que le défunt présentait au cours de sa maladie. L'époux de madame Brown était décédé d'une thrombose qui lui avait occasionné des douleurs thoraciques et des troubles respiratoires pendant une semaine. Par après, sa femme eut des attaques de pertes de connaissance, des palpitations et des paniques; elle respirait difficilement et sentait son cœur prêt à éclater, « tout comme mon mari ». Durant l'année, elle développa des spasmes incontrôlables et des douleurs à la figure et aux jambes. Son médecin croyait à une imitation de symptômes retrouvés chez le mari cinq ans auparavant.

Certaines veuves affirment également que leur époux décédé vit à l'intérieur de leur propre corps. « Mon mari est en moi et à travers moi. Je suis devenue comme lui... Je peux le sentir à l'intérieur de moi-même quoi que je fasse. Il avait l'habitude de dire: 'Tu feras ceci lorsque je serai parti? Il guide vraiment ma vie. Je peux ressentir sa présence à l'intérieur de moi parce qu'il fait des choses et me parle. Ce n'est pas une perception de sa présence; il est réellement à l'intérieur de moi. C'est pourquoi je suis heureuse tout le temps. Comme si deux personnes ne faisaient qu'une... Bien que je sois seule, nous sommes ensemble, vous voyez ce que je veux dire... Je ne crois pas avoir la volonté pour continuer seule, c'est pourquoi il doit être là. »

Parfois l'époux décédé se réincarne dans un enfant. Une veuve disait de sa fille: « Parfois, j'ai l'impression que Diane est mon mari... Elle a ses mains; cela me donne la chair de poule. »

La moitié des veuves rêvaient de l'époux décédé. Ces rêves semblaient très réels; souvent ils se terminaient au réveil de la veuve, surprise et déçue de l'absence de son mari. « Il était en train de me réconforter et il avait mis ses bras autour de moi. Je me retournais et je pleurais. Même dans le rêve je savais qu'il était mort... Mais j'étais si heureuse que j'en pleurais et je ne pouvais rien faire pour m'arrêter... Quand j'ai touché à sa figure c'était comme s'il était réellement là, vivant et réel. » Un autre rêve typique fut: « Il était dans la tombe et le couvercle était refermé; soudainement, il revint à la vie et sortit de sa tombe... Je l'ai regardé, il ouvrit la bouche et j'ai dit: Il est vivant! Merci mon Dieu, je pourrai encore parler avec lui. »

Problèmes physiques et autres troubles

Au cours de la période douloureuse du deuil, les gens s'attardent peu à des problèmes moins urgents, comme le sommeil et l'alimentation. Au début, l'insomnie s'installe de façon permanente; lors du premier mois, la moitié des veuves absorbèrent une drogue sédative. Plusieurs ne pouvaient pas s'endormir, s'éveillaient durant la nuit ou tôt le matin. Durant la soirée, elles se sentaient particulièrement seules. Presque toutes furent incapables de dormir dans le lit conjugal et restaient debout une bonne partie de la nuit en pensant à leur époux. La plupart mangèrent peu et perdirent du poids durant les premiers mois. Quelques-unes perdirent même leur affection pour leurs enfants, cessèrent de visiter leurs amis et s'enfermèrent littéralement dans leur maison. Les sept femmes qui travaillaient s'absentèrent en moyenne pendant deux semaines, mais leur intérêt pour le travail de même que pour leur vie sociale revint beaucoup plus tôt que les veuves sans emploi.

La phase de rétablissement à la suite d'un deuil

Par chance, la majorité des gens surmontent le deuil à temps. Par exemple, madame Green entretenait une relation très étroite avec son mari. Après sa mort, elle éprouva de la solitude pendant plusieurs jours, devint anxieuse, déprimée et préoccupée par la mémoire de son mari dont elle ressentait fortement la présence. Sa famille la supporta et sa réaction de deuil diminua graduellement au cours du troisième ou quatrième mois. Durant le septième mois, elle visita sa sœur en Amérique. Se sentant désirée et confiante, elle commença à prendre soin d'un parent malade et à reprendre sa place au sein d'une famille unie.

La durée de la réaction de deuil varie et la récupération n'est pas toujours complète, même après un an. D'une certaine façon, cette réaction ne s'éteint jamais; des veuves disent souvent: « Vous ne passez jamais à travers. » Les anniversaires, la visite inattendue d'un vieil ami, de même que la photographie oubliée dans un tiroir, réveillent cette douleur intense, cette tristesse et font revivre à nouveau à la personne concernée un petit épisode de deuil. Cependant, à mesure que le temps passe, la réaction s'atténue, les intérêts et l'appétit reviennent à nouveau.

Réactions aux désastres

Les désastres comme les incendies, les accidents d'avion et les tornades, produisent des réactions très compliquées. Pendant une courte période, lorsque le danger s'approche, les gens sont habituellement très apeurés et tentent de se sauver. Le danger passé, plusieurs demeurent longtemps effrayés, excités et en alerte à la moindre menace. Pendant et immédiatement après un désastre, il existe une immobilité accablante et une sensation habituellement brève de geler sur place. Certaines personnes peuvent cependant vagabonder pendant des heures dans un état de distraction permanente. Peu après la disparition du danger, les gens deviennent déprimés et apathiques, manquent d'énergie, d'initiative et d'intérêt, mais ils ne présentent généralement pas de ruminations suicidaires. Ils peuvent s'accrocher passivement à l'autorité et démontrer une obéissance automatique à toute personne en charge des opérations. Par après, les opérations de sauvetage les plus urgentes étant terminées, les gens deviennent souvent agressifs et irritables.

Au cours d'un stress extrême, l'anxiété et la panique ne constituent pas vraiment le problème majeur dans le sauvetage d'une population. Le problème provient plutôt du manque de coordination car les gens agissent bien souvent selon leur définition personnelle de la situation à ce moment. Les réactions émotionnelles au cours des désastres peuvent augmenter à cause de la séparation de la famille et des contacts avec des blessés ou des moribonds.

Il est surprenant de remarquer que la panique survient rarement au cours d'un désastre. Les sociologues définissent la panique comme une réaction de peur aiguë, marquée par une perte de l'autocontrôle et suivie par une fuite irrationnelle et antisociale. La panique se manifeste lorsqu'une personne se sent immédiatement menacée et croit que la fuite est impossible à ce moment, mais qu'elle deviendra rapidement possible. La panique tend à disloquer les activités d'un groupe organisé et à ne tenir aucun compte des relations sociales habituelles. La panique diffère donc d'un retrait contrôlé où les modèles conventionnels de réponses se maintiennent encore malgré une certaine confusion. La panique survient lorsque les possibilités de fuite demeurent disponibles et non pas lorsqu'une personne se sent complètement prise au piège. Elle s'accompagne d'un sentiment d'abandon, d'impuissance et de solitude et s'accentue au contact d'autres individus agités qui ressentent un danger similaire. Au cours d'une panique surgit une fuite aveugle de la menace sans aucune tentative de venir à bout du danger lui-même.

Pour les pilotes américains, au cours de la Seconde Guerre mondiale, le principal facteur responsable des décompensations émotionnelles au cours des combats était le danger lui-même. Plus il y avait d'avions détruits, plus il y avait de problèmes émotionnels parmi l'équipage. L'anxiété augmentant rapidement à cause des pertes, elle rendait les gens davantage exposés à un désastre. La chance jouait en grande partie pour déterminer si un traumatisme particulier conduirait à une décompensation. La position d'un pilote dans une formation modifiait la vision des événements déchirants. Voir le parachute d'un ami s'ouvrir sans problème, prendre feu ou s'accrocher dans un avion, étaient des facteurs très importants. La vue de l'explosion complète d'un bateau et de tous ses occupants par une bombe différait grandement de celle des blessés qui se tordaient de douleur.

L'apparence physique d'un homme en danger joue également un rôle dans la décompensation psychologique surtout s'il est connu ou aimé de l'observateur.

Un danger extrême peut provoquer une peur chez les plus braves qui demeurent souvent perplexes et ne croient pas aux phobies qu'ils ont développées. Présentant une phobie de l'avion à la suite d'un combat, un cadet américain de dix-neuf ans rapporta: « J'ai une bande jaune dans le dos qui mesure trois pieds de largeur; je ne sais pas où j'ai attrapé cela. Je n'ai jamais été jaune auparavant. »

Lorsqu'un équipage devient anxieux, il se plaint de la maladie de l'air et d'étourdissements; il devient alors très prudent en cours de vol. La phobie de l'avion se développe souvent lorsqu'un incident survient, rappelant à la personne une situation dangereuse: un accident banal, un vent inattendu, un accrochage momentané dans les contrôles, etc... La peur commence habituellement au début d'une étape avancée de l'entraînement: le premier vol de nuit, le premier vol aux instruments ou en formation, le premier vol dans un appareil nouveau ou plus compliqué.

Après un repos de trois à six semaines, presque tous les blessés purent reprendre leurs activités, malgré la persistance des cauchemars chez plusieurs d'entre eux. Par contre, seuls quelques-uns purent retourner au combat. Un homme avait ainsi décompensé à la suite d'une mission; son avion avait été fortement endommagé à deux reprises causant la mort de ses deux coéquipiers. Hospitalisé dans une maison de repos, il passa les deux premières semaines à s'étendre sur le gazon, face contre terre, profondément déprimé; ne parlant à personne, il était préoccupé par la culpabilité et se demandait s'il était vivant ou non. Incapable de manger, de dormir, de se mêler aux autres, de parler d'aviation ou d'écouter quelqu'un en parler, il était extrêmement sensible aux bruits de toutes sortes. Il avait une phobie intense de sa base aérienne. Il s'améliora lentement au début puis, soudainement, beaucoup plus rapidement. A la fin de six semaines, il réussissait à faire de menus travaux à la base de l'armée.

Le stress extrême et prolongé

Plus le stress est long et sévère, plus les troubles sont graves et persistants. Les procédures inhumaines, comme la torture chez les prisonniers politiques ou dans les camps de concentration donnent de tels résultats. Des chercheurs ont étudié d'anciens prisonniers des camps de concentration pendant plus de douze ans après leur libération. Même après tant d'années, l'anxiété causait encore des problèmes à presque la moitié des survivants et tous les autres présentaient d'autres difficultés. Des cauchemars et des troubles du sommeil coexistaient avec l'anxiété. Les anciens prisonniers se remémoraient des souvenirs horribles à répétition et étaient incapables de discuter de ces événements avec des amis intimes ou des parents. Les faits les plus inoffensifs pouvaient déclencher des images atroces: par exemple, une personne s'étirant les bras pouvait raviver le souvenir de compatriotes pendus par les pouces; une avenue bordée d'arbres était associée à des rangées de potences avec des cadavres se balançant au bout de leurs cordes; la vue des enfants pouvait leur rappeler d'autres enfants émaciés, torturés et tués.

Deux tiers des survivants présentèrent des problèmes psychologiques pendant leur séjour dans ces camps: anxiété sévère, tension, désespoir et dépression profonde. L'anxiété fut particulièrement ressentie chez ceux qui avaient fait de longs séjours dans les cellules de la mort et chez les partisans d'organisations illégales responsables de l'exécution de plusieurs prisonniers. Plus la cause de l'arrestation était sérieuse, plus l'anxiété était grande. Les attaques à la bombe terrifiaient particulièrement ceux qui étaient enfermés dans leurs cellules, les bombes et les immeubles s'écrasant autour d'eux.

L'anxiété développée dans les prisons et les camps continua de se manifester même après la libération. La gravité des troubles subséquents était directement reliée à la sévérité des tortures physiques et psychologiques. Des symptômes graves troublaient encore plusieurs personnes vingt-cinq ans après ces expériences traumatiques.

III Les différentes formes de tension nerveuse et leurs traitements

Au cours des prochains chapitres, nous aborderons les différentes manifestations de la tension nerveuse de même que les diverses approches dans le traitement de l'anxiété. Certains lecteurs auront sans doute expérimenté l'un ou l'autre des problèmes décrits. Ceux-ci ne requièrent aucune assistance professionnelle à moins qu'ils ne contrecarrent votre vie; si tel est le cas, vous ne pouvez leur faire face sans aide. Sachez cependant que vous n'êtes pas seul avec votre fardeau et que différentes formes de traitement sont disponibles. Plusieurs des exemples rapportés viennent de personnes traitées avec succès par mes collègues ou moi-même. La description de chaque entité clinique sera suivie par un aperçu de son traitement. Enfin, dans le dernier chapitre, je rassemblerai les différentes tendances pour en arriver à une explication générale des thérapies actuellement employées.

Comme nous l'avons vu, l'anxiété et la peur deviennent anormales lorsqu'elles dépassent la réponse habituelle au stress dans une culture donnée et handicapent la personne dans sa vie quotidienne. Les gens décident habituellement de recourir à un traitement lorsqu'ils sont dépassés par leurs problèmes, ou à cause de leur intensité, de leur fréquence ou de leur persistance. L'anxiété et les phobies se manifestent dans plusieurs troubles psychiatriques, chacun d'eux possédant des caractéristiques distinctes que nous appelons des syndromes. Un syndrome est simplement un ensemble de différents symptômes qui tendent à se présenter simultanément pendant une certaine période de temps. Chaque syndrome comporte des implications spéciales quant à sa cause, son évolution ou le traitement approprié; donc, les étiquettes demeurent utiles malgré cette boutade d'un cynique: « Vous appelez névrose un groupe de symptômes inexpliqués. Par contre, vous êtes assez subtils car vous en faites un diagnostic. »

Les états dépressifs

L'anxiété fait habituellement partie des états dépressifs; elle augmente ou diminue en même temps que les autres symptômes de la dépression. Les malades déprimés tendent à broyer du noir, à pleurer souvent, à souffrir d'insomnie, de perte d'appétit, à ressentir de la culpabilité, à se faire des reproches non mérités, à présenter des ruminations suicidaires et à perdre tout plaisir ou tout agrément. Les déprimés s'imaginent souvent avoir le cancer, des troubles cardiaques ou d'autres maladies. Ils peuvent montrer une grande agitation et faire les cent pas dans leur chambre en se prenant les mains, tremblant d'appréhension.

Malgré sa haute incidence, la dépression demeure, par chance, une des conditions les plus facilement traitables en psychiatrie. Une médication antidépressive appropriée peut aider plusieurs malades après quelques semaines et l'anxiété diminue à mesure que la dépression s'apaise. Malgré l'amélioration, les déprimés doivent souvent continuer à prendre leur médication pendant plusieurs mois ou, plus rarement, même pendant des années pour éviter une rechute. Seule une diminution lente de la posologie permet de décider de l'utilité de la médication. Si les symptômes dépressifs tendent alors à réapparaître, le médecin ajuste à nouveau la médication.

Actuellement, les médicaments antidépresseurs les plus efficaces appartiennent à une classe de composés connus sous le nom de tricycliques. Les plus connus sont: l'imipramine, la trimipramine, l'amitriptyline, la nortriptyline, le protriptyline, le psothiaden et la doxepine. Il faut environ trois à quatre semaines avant que ces médicaments produisent des effets bénéfiques. Certaines personnes présentent des effets secondaires déplaisants, mais habituellement non dangereux, comme la sécheresse de la bouche, une vision embrouillée et de la fatigue. Ajoutons qu'aucune diète spéciale n'est requise avec cette médication.

Une autre classe d'antidépresseurs s'appelle les inhibiteurs de la monoamine oxydase. Les principaux incluent la phénelzine, l'iproniazide et la tranylcypromine. Ces composés moins utilisés peuvent également prendre plusieurs semaines pour améliorer une dépression, mais, parfois, ils aident des malades chez qui les tricycliques ont échoué. Les gens qui prennent ces médicaments doivent suivre une diète sévère qui défend de manger du fromage, des concentrés de viande, des extraits de levure et d'autres aliments contenant beaucoup de tyramine. En effet, la tyramine réagit parfois avec ces médicaments ce qui déclenche une hypertension artérielle pouvant être dangereuse. Evidemment, ce danger diminue fortement quand les malades s'en tiennent à leur diète, ce qui n'est pas toujours facile.

Certaines personnes souffrant de dépression agitée ne répondent pas toujours à une médication antidépressive. Ces malades peuvent être améliorés par une série d'électrochocs (ECT). Ce type de thérapie semble horrible à première vue, mais en fait il n'en est pas du tout ainsi. Les électrochocs demeurent encore le traitement le plus puissant pour la dépression agitée, sérieuse, malgré qu'ils ne soient plus maintenant utilisés que dans les cas où la médication antidépressive a échoué. Le malade reçoit une injection intraveineuse d'une drogue relaxante qui l'endort et détend sa musculature. Sous anesthésie et complètement détendu, le sujet reçoit un courant électrique faible au moyen d'électrodes placées au niveau de ses tempes. Le traitement dure moins d'une seconde et le malade ne présente plus de convulsions marquées à cause de la médication relaxante. La convulsion résulte d'une décharge de courant par les cellules cérébrales. Le malade se réveille à peine quelques minutes après la convulsion et ne se souvient de rien. Confus pendant peu de temps après son réveil, il peut généralement retourner à ses activités normales. Après des électrochocs, les malades ont certaines difficultés à se souvenir des événements récents, mais cet inconvénient s'atténue rapidement. Les modifications récentes dans l'application de ce traitement ont diminué les troubles transitoires de mémoire. La thérapie par électrochocs a révolutionné le traitement de la dépression il y a trente ans. A ce moment, les hôpitaux fourmillaient de malades mélancoliques, agités et déprimés, pour qui il n'y avait aucune médication. Avec l'apparition des médicaments antidépresseurs, les électrochocs furent beaucoup moins employés. Ils demeurent cependant encore une méthode de traitement profitable à l'occasion, malgré notre ignorance sur les mécanismes d'action. Nous savons seulement que le traitement procure une amélioration si le courant électrique induit une convulsion; toute stimulation électrique sans convulsion demeure inutile.

La névrose d'angoisse

La névrose d'angoisse caractérise un syndrome fréquemment retrouvé en psychiatrie. Nous retrouvons un groupe de symptômes basés sur l'anxiété dont l'origine est inconnue du malade. L'anxiété peut être chronique et soutenue, mais habituellement elle va et vient, chaque épisode durant de quelques minutes à quelques heures ou quelques jours. La plainte principale porte sur des attaques intermittentes d'anxiété, de panique, d'étouffement, de suffocation ou de difficultés respiratoires, de palpitations, d'accélération du rythme cardiaque, de douleurs thoraciques, de nervosité, d'étourdissements, de faiblesse, de sentiments de fatigue, d'irritabilité ou d'autres symptômes psychosomatiques. Ces malades passent souvent d'un spécialiste à l'autre selon le symptôme qui émerge.

Le trait le plus commun consiste en épisodes d'anxiété survenant sans aucune cause apparente. Le sujet se sent soudainement malade, anxieux, faible; il prend conscience de son rythme cardiaque, se sent étourdi et est sujet au vertige. Il ressent une boule dans la gorge, une faiblesse dans ses jambes et a l'impression que le sol bouge sous ses pieds. Sa respiration lui semble anormale ou rapide au point de ressentir des engourdissements dans les mains et les pieds. Il a peur de perdre conscience ou de mourir, de se mettre à crier ou de perdre contrôle et devenir fou. La panique peut devenir telle qu'elle cloue le malade sur place pendant quelques minutes jusqu'à ce que la tension diminue.

L'attaque d'anxiété peut durer de quelques minutes à plusieurs heures. Une fois passée, le malade reprend à nouveau sa pleine forme jusqu'à la prochaine attaque, le même jour, des semaines ou des mois plus tard. Il peut se sentir également tremblotant pendant toute la journée, ses symptômes augmentant à la moindre apparition d'une autre attaque. Les attaques surviennent occasionnellement ou se présentent par vagues successives à quelques minutes d'intervalle; elles deviennent alors si troublantes que le malade doit garder le lit. Présents pendant une plus longue période de temps, ces symptômes fluctuent de sorte que le malade passe de périodes de bien-être à des moments de malaise extrême.

L'intensité de la nervosité varie de la terreur paralysante à une légère tension. Certaines personnes n'ont même pas conscience de leur anxiété, mais se plaignent simplement de changements physiques causés par leur angoisse: par exemple, qu'elles suent beaucoup trop, que leur cœur bat de façon irrégulière ou encore qu'elles ne peuvent prendre de respiration profonde. L'anxiété peut continuer à se manifester pendant de longues périodes de temps sans être ponctuée d'attaques discrètes de panique. Elle peut se mélanger à de légers symptômes de dépression, à des désirs de pleurer ou même à des pensées suicidaires occasionnelles, mais contrairement aux états dépressifs, les impulsions suicidaires sérieuses ne sont pas une caractéristique de la névrose d'angoisse.

Les difficultés respiratoires sont communes. Une personne peut rapporter: « Je ne peux pas absorber suffisamment d'air », « J'ai le souffle court », et présenter cliniquement ces symptômes. Elle peut au contraire montrer une respiration très accélérée, avoir la sensation d'étouffer ou des difficultés d'avaler qui s'accentuent dans des foules de sorte que, par exemple, elle devra ouvrir une fenêtre en présence de plusieurs personnes dans une même pièce.

Ces malades peuvent ressentir un inconfort au niveau du thorax et présenter des douleurs cardiaques, une pression à la partie supérieure de l'abdomen, une perception exagérée des pulsations cardiaques de même qu'une sensation de lourdeur au niveau du cœur. Au cours d'une anxiété intense, le sujet peut avoir besoin d'uriner ou de déféquer et être constamment à l'affût d'une salle de toilette. La tension sévère provoque également des nausées et des vomissements; cet état peut déclencher secondairement une phobie de vomir en public ce qui entraînera le sujet à éviter subséquemment ces endroits. Le malade manque parfois d'appétit, cesse de manger, perd du poids et présente occasionnellement une diarrhée légère.

Les personnes souffrant de névrose d'angoisse se sentent faibles et étourdies surtout debout ou en marchant. Cet état peut créer une insécurité telle qu'elles se tiendront à une chaise ou marcheront près des murs des édifices. Un homme rapportait: « Je sens que je marche sur un sol mouvant qui s'abaisse et qui s'élève comme sur le pont d'un bateau par une mer houleuse. » Une femme disait que « Mes jambes sont de gélatine et je marche sur des balles de laine. »

Une impression aiguë de suffocation, des palpitations et des douleurs thoraciques peuvent faire partie de ce syndrome et conduire à des peurs de perdre connaissance, de tomber, d'avoir une attaque cardiaque ou de mourir. Ces sentiments s'intensifient parfois dans certaines situations et conduisent ces personnes à les éviter. Il s'agit souvent des pièces ou des endroits surchauffés et bondés: magasins, salons de coiffure, cinémas, théâtres ou églises. S'ils y vont, ils s'asseoient au bord d'une rangée; une sortie en vitesse et en dignité leur est ainsi ménagée. L'accès aux rues achalandées, aux autobus et aux trains leur devient impossible puisque ces situations provoquent des crises répétées de panique; à cause de cela, la victime peut restreindre graduellement ses activités au point de se confiner à son domicile. De façon étrange, de telles personnes peuvent quand même souvent voyager en automobile même lorsqu'elles évitent toutes les autres formes de transport et qu'elles sont incapables de marcher seules dans la rue. Les peurs diminuent souvent en présence d'adultes qui les rassurent; accompagnées, elles peuvent faire beaucoup de choses alors qu'elles se sentiraient impuissantes seules. A l'occasion, elles peuvent avoir besoin de compagnie au foyer; des époux et épouses durent ainsi abandonner leur travail et demeurer à la maison avec leur conjoint.

Plusieurs de ces malades se croient atteints du cœur ou du cancer et visitent leur médecin à répétition pour se rassurer. En général, cette rassurance n'a qu'un effet transitoire car les multiples investigations négatives ne réussissent pas à les convaincre. Les gens souffrant d'anxiété sont habituellement irritables, s'emportent facilement et narguent leur conjoint et leurs enfants. Ils se fatiguent vite et ont de la difficulté à terminer leur travail.

D'autres plaintes portent sur des sentiments d'étrangeté ou d'irréalité, de détachement ou d'éloignement de l'environnement. Ces sensations peuvent se présenter lors d'une panique ou encore, à d'autres moments, sans aucune anxiété.

Le malade suivant montre plusieurs traits typiques de la névrose d'angoisse. Un mathématicien de trente-cinq ans se plaignait de palpitations épisodiques et de faiblesse depuis quinze ans. Il y avait eu des périodes asymptomatiques qui avaient duré plus de cinq ans, mais, durant la dernière année, ses symptômes avaient augmenté au point qu'il avait cessé de travailler depuis quelques semaines, à cause de sa détresse. A tout moment et sans aucun avertissement, il croyait qu'il était en train de tomber ou de perdre connaissance ou encore il se mettait à trembler et à avoir des palpitations. S'il était debout, il s'accrochait désespérément à une chaise ou s'appuyait au mur le plus rapproché. S'il conduisait une automobile à ce moment, il s'arrêtait sur le bord de la route et attendait que disparaissent les symptômes avant de reprendre le voyage. Si cet état survenait au cours d'une relation sexuelle avec sa femme, il cessait immédiatement toute activité. Si la même symptomatologie surgissait quand il donnait un cours, ses pensées devenaient confuses, il ne pouvait pas se concentrer et était incapable de continuer. Il avait de plus en plus peur de marcher seul dans la rue ou de conduire son automobile par crainte d'une crise, et les transports en commun lui répugnaient. Accompagné, il se sentait davantage en sécurité, mais ses symptômes apparaissaient quand même. Entre les attaques, le malade ne se sentait pas complètement bien car il demeurait toujours craintif, sachant que le drame pouvait survenir autant le jour que la nuit. Il manquait d'énergie, mais n'était pas déprimé et niait toute peur, anxiété ou panique au cours de ses attaques.

Il avait eu une enfance heureuse, sans problème psychologique, menait une vie sociale active lorsqu'il était asymptomatique, avait fait un heureux mariage et sa carrière professionnelle florissait. Aucun membre de sa famille n'avait souffert de troubles psychiatriques.

Au cours de l'entrevue, le malade décrivit clairement son problème, mais il semblait trop humble pour un homme de sa condition. Sa tête et ses mains tremblaient continuellement et ses mains étaient mouillées et froides. Son rythme cardiaque était accéléré. Au cours de l'enregistrement de sa tension artérielle, il devint subitement très anxieux, agité et en sueur; il refusa de s'étendre. Il s'assit en pleurant et en demandant de l'aide. Il tenta d'enlever de son bras l'appareil à pression en disant que c'était douloureux. Après trois ou quatre minutes, il se calma, mais voulut demeurer assis dans le fauteuil.

Au cours des dix-huit mois suivants, ce malade cessa complètement de conduire son automobile et de voyager par les transports en commun. Pour cette raison, il quitta son emploi. Après le traitement, il put à nouveau voyager et travailler. Les épisodes d'anxiété flottante qui n'étaient pas reliés à des situations particulières persistèrent, mais il se sentait capable de leur faire face.

Les états anxieux peuvent également éclore lorsque augmente une anxiété présente pendant la plus grande partie de la vie d'une personne. Un autre malade illustre ce point:

Un fonctionnaire de cinquante-deux ans avait été anxieux toute sa vie. Enfant, il était timide et évitait les sports et les bousculades. A deux reprises, il avait fait l'école buissonnière parce qu'un camarade l'avait menacé. Il réussissait mal en classe, à cause de son anxiété. Aux examens oraux, il ne pouvait s'empêcher de bégayer.

Sa mère et ses deux frères avaient été traités pour des attaques d'anxiété qu'ils avaient subies au cours de problèmes conjugaux. Adolescent, le malade souffrait de timidité, mais il avait combattu sa gêne en prenant des cours d'art oratoire. Il se maria à vingt-huit ans et travailla comme assistant en administration. Toute modification à sa routine provoquait une panique et il se faisait du souci à la moindre difficulté. Il visitait régulièrement son médecin de famille depuis vingt-cinq ans et trouvait que les médicaments sédatifs l'aidaient à surmonter son anxiété. Trois mois avant la consultation, on lui avait donné des responsabilités additionnelles à son travail et il devait bientôt passer des examens.

A l'entrevue, cet homme se plaignit de sentiments évasifs d'anxiété, de tension dans le cou, de palpitations, de bouche sèche et de sudation. Il fut traité par de petites doses d'une médication sédative et par des entrevues de support au cours desquelles il apprit à évaluer de façon plus réaliste ses capacités et ses ambitions.

Les aspects culturels

Les états anxieux peuvent se manifester plus fréquemment chez certains peuples que chez d'autres. En Malaisie et en Thaïlande, les psychiatres voient plus de Chinois présentant ces problèmes que tout autre groupe ethnique. Cette constatation origine probablement du statut social marginal des Chinois dans ces sociétés.

La culture affecte également la façon dont les gens expriment leur anxiété. Chez les Chinois du sud, il existe une forte croyance que les organes génitaux mâles sont essentiels à la vie, et le sperme est hautement estimé. Un proverbe dit que cent grains de riz font une goutte de sang et cent gouttes des sang font une goutte de sperme. L'activité sexuelle excessive est vue comme malsaine. Les Chinois atteints d'un état anxieux se plaignent fréquemment d'une absence de sperme alors que les Malais décrivent rarement ces tracas. Rappelons-nous qu'en Angleterre et en Amérique, la masturbation était vue, il n'y a pas si longtemps, comme une cause de folie; des milliers d'adolescents ont ainsi vécu une agonie en se tracassant sur les conséquences de la masturbation.

Les mêmes tracas à propos des activités sexuelles peuvent nous aider à comprendre un phénomène curieux qu'on appelle le Koro. Ce mot malais décrit une forme spéciale d'anxiété aiguë chez certains Chinois ayant immigré au sud-est de l'Asie. Les Chinois décrivent cette condition comme étant « La maladie du pénis qui rétrécit ». Parfois, une ou deux personnes présentent cette pathologie dans toute une communauté, mais des épidémies ont aussi été décrites. En phase aiguë, le malade croit que son pénis est en train d'entrer dans son abdomen et qu'il en mourra. Pour prévenir cette rétraction, il se tient le pénis à pleine main ou demande à des amis ou à des parents de le faire pour lui. Il peut même utiliser des bâtons ou des cordes et l'attacher pour prévenir ce phénomène.

Parallèlement, le malade présente une accélération du rythme cardiaque, de l'essoufflement, des douleurs physiques, des troubles visuels et de la faiblesse; il peut vomir et manifester des engourdissements des mains et des pieds. De façon étrange, des femmes se plaignent parfois de la même maladie sous forme de rétraction des mamelons ou de la vulve.

Les tracas ne se retrouvent pas uniquement chez les présidents de compagnie. L'anxiété face à l'ensorcellement était fréquente au Moyen-Âge et le fameux livre *The Hammer of Witches* constituait à l'époque un guide détaillé pour reconnaître la sorcellerie. Un chapitre de ce livre décrit comment les sorcières dépossédaient les hommes de leurs organes génitaux. La peur de l'ensorcellement se retrouve fréquemment dans les sociétés préindustrielles; le VAUDOU correspond à la forme extrême. Certaines personnes croient qu'elles ont été ensorcellées et qu'elles doivent mourir comme l'a déclaré l'éminent guérisseur. Elles cessent alors de manger, déclinent rapidement et meurent en quelques jours. Ces décès rapides demeurent encore un mystère.

L'anxiété n'est évidemment pas le privilège des occidentaux seulement. Une récente étude a démontré que les aborigènes australiens se plaignent souvent de symptômes physiques fréquemment associés à l'anxiété, comme la fatigue, l'insomnie, des douleurs dans le dos et des problèmes respiratoires. L'auteur de cette recherche a retrouvé les mêmes problèmes d'agoraphobie, de troubles sexuels et obsessionnels en Inde, en Israël, en Europe, en Amérique du Nord et en Afrique du Sud. Le tableau clinique demeure similaire quelle que soit la race ou la religion; seul diffère le langage par lequel l'anxiété est exprimée.

Epidémies d'anxiété aiguë

De temps en temps, de brèves épidémies d'anxiété aiguë touchent certaines communautés. Ces épidémies ne durent pas très longtemps et les victimes n'en gardent pas de séquelles durables. Il est habituellement possible de retrouver les événements déclenchants et la forme de l'anxiété dépend en bonne partie de la culture.

A Singapour, une épidémie de Koro survint en juillet 1967 au cours d'une poussée de peste porcine. A la suite d'un battage publicitaire, les porcs furent inoculés pour contrôler l'épidémie. En octobre, des gens présentèrent le syndrome de Koro et la rumeur s'étendit rapidement que le Koro pouvait être causé par l'ingestion de porc infecté ou inoculé. Les hôpitaux reçurent alors jusqu'à cent cas de Koro par jour et plusieurs autres malades consultèrent leur médecin. Tous craignaient voir leurs organes génitaux disparaître et certains malades avaient même suspendu des poids à leur pénis pour éviter cette catastrophe. Le septième jour, au sommet de l'épidémie, des experts expliquèrent au public, à la radio et à la télévision, que le Koro était d'origine psychologique et que la rétraction du pénis dans l'abdomen était impossible. Le jour suivant, les plaintes diminuèrent de beaucoup et l'épidémie cessa rapidement par après. Des Chinois du Sud, des hommes pour la plupart, constituaient la majorité des victimes; presque tous guérirent complètement sans aucune conséquence sérieuse.

En Europe et en Amérique, des épidémies d'anxiété aiguë, surtout caractérisées par de l'hyperventilation (respiration très accélérée) et de la faiblesse, surviennent à l'occasion chez des jeunes femmes, principalement chez des étudiantes et des infirmières vivant ensemble dans une institution. Au cours d'un tel incident en Angleterre, soixante-dix pour cent des cinq cents jeunes filles d'un lycée montrèrent des symptômes d'anxiété et un tiers d'entre elles durent être admises à l'hôpital. Plusieurs présentèrent des épisodes à répétition.

L'origine de l'épidémie n'était pas claire. Plus tôt dans l'année, la ville avait fait une énorme publicité lors d'une épidémie de polio. Tout juste avant l'épidémie d'anxiété, les étudiantes assistèrent à une cérémonie rehaussée par la présence de la famille royale. Les jeunes filles attendirent en rangs pendant trois heures en face de l'école; vingt perdirent alors connaissance et furent retirées des rangs. Le lendemain matin, il y eut beaucoup de bavardage à propos de ces pertes de connaissance. Au cours d'une réunion, d'autres jeunes filles se plaignirent de faiblesse et s'étendirent dans le corridor. Une institutrice crut plus sage de les étendre par terre plutôt que de les asseoir sur des chaises; à la récréation, la salle était presque remplie de jeunes filles gisant par terre. Le phénomène devint rapidement épidémique. Des symptômes de surexcitation et de crainte avaient provoqué l'hyperventilation et ses conséquences, faiblesse, étourdissements, engourdissements dans les extrémités et, éventuellement, contractions musculaires dans les bras et les jambes. Plusieurs jeunes filles semblaient très malades. De nouveaux cas surgirent à chaque réunion subséquente. Les autorités réalisèrent la nature de l'épidémie à la douzième journée et une ferme prise en mains empêcha le problème de s'étendre davantage.

L'épidémie débuta chez des étudiantes de quatorze ans et s'étendit rapidement chez les plus jeunes. La première journée, les symptômes apparurent chez vingt-cinq pour cent des jeunes filles, principalement au cours de la récréation. L'anxiété se dissipa lentement après quelques jours.

Traitements médicamenteux de la névrose d'angoisse

Les médicaments sédatifs servent de palliatifs dans le traitement de la névrose d'angoisse. Ils diminuent l'anxiété à la suite de leur absorption dans l'organisme, mais leurs effets disparaissent avec l'excrétion de la substance chimique. Les benzodiazépines représentent une classe de médicaments sédatifs. Les plus connus sont: le diazepam (Valium) et son plus proche parent, le chlordiazepoxyde (Librium). Les autres médicaments de cette classe comprennent l'oxazepam (Serax), le medazepam (Nobrium), le lorazepam et le nitrazepam (Mogadon). Les autres drogues principales incluent l'oxypertine et la benzoctamine.

Il y a quinze ans, les barbituriques, comme le phénobarbital et l'amobarbital, représentaient la médication de choix pour l'anxiété. Malheureusement, ces médicaments donnent souvent des effets secondaires et peuvent provoquer rapidement une toxicomanie. De plus, lorsque des personnes cessent subitement de prendre ces médicaments, après une ingestion régulière et assez longue, elles peuvent faire des convulsions. Le surdosage peut enfin causer la mort beaucoup plus rapidement qu'un surdosage aux benzodiazépines. Pour toutes ces raisons, l'utilisation des barbituriques décline de plus en plus. La plupart de ces médicaments se prennent par la bouche; rares sont les médecins qui aient à les utiliser par voie intraveineuse.

La drogue la plus facilement disponible demeure l'alcool. Depuis les temps anciens, l'alcool a été employé pour diminuer la peur et la tension. Il a une grande valeur sociale car il aide à délier la langue de plusieurs et facilite la socialisation des gens dans des situations potentiellement embarrassantes. Certaines personnes souffrant de phobies légères trouvent que l'alcool leur procure un certain soulagement; d'autres, par contre, boivent au point de devenir alcooliques. Comme pour la médication sédative, la valeur thérapeutique de l'alcool ne dure pas.

Le diazepam et les médicaments similaires peuvent être très utiles lorsque donnés à petites doses et ingérés juste avant de faire face à une situation terrifiante. Cependant, si le malade ne demeure pas dans la situation jusqu'à la disparition complète de l'effet de la drogue, la peur peut réapparaître à nouveau. En effet, il ne sert à rien de prendre du diazepam juste avant de faire un voyage en autobus et de quitter le véhicule quand l'effet pharmacologique du médicament s'estompe. Le sujet doit plutôt demeurer dans l'autobus pendant plusieurs heures après la disparition de l'effet de la drogue. Il vaut mieux prendre le médicament trois à quatre heures avant le départ et, lorsque l'effet pharmacologique commence à diminuer, faire alors un voyage de trois heures en autobus. De cette façon, l'amélioration devrait persister davantage.

Les médicaments antidépresseurs jouent un rôle très important dans le soulagement de la dépression; le rôle des sédatifs est beaucoup plus modeste dans l'anxiété. Bien que des dizaines de millions de pilules et de gallons d'alcool soient ingérés chaque année, il y a peu d'évidence qu'ils ont un effet durable sur l'anxiété ou les phobies. Ces artifices nous aident momentanément et ne doivent pas être dédaignés, mais ils ne sont d'aucune aide pour guérir nos difficultés. Les traitements psychologiques donnent de meilleurs résultats.

Les phobies

Une phobie est une forme d'anxiété déclenchée par une situation particulière. Cette anxiété situationnelle diffère de celle de la névrose d'angoisse qui peut survenir sans aucune cause apparente, d'où son nom d'anxiété flottante. Les phobies peuvent apparaître dans presque n'importe quelle situation, mais, en général, elles se manifestent davantage dans certaines conditions précises; elles peuvent être mineures ou handicaper sérieusement une personne. Nous avons déjà vu qu'elles peuvent faire partie d'une dépression ou d'un état anxieux. Lorsque les phobies constituent le principal problème d'un malade, nous appelons cette condition un état phobique ou un trouble phobique qui va d'une peur isolée chez une personne par ailleurs normale à des peurs extensives et diffuses se manifestant avec plusieurs autres problèmes psychiatriques.

L'agoraphobie

L'agoraphobie demeure probablement le syndrome phobique le plus commun et le plus affligeant dont se plaignent les malades adultes. Le mot agoraphobie vient d'une racine grecque *agora* signifiant foule ou marché. Un psychiatre allemand utilisa le terme pour la première fois il y a cent ans pour décrire « L'impossibilité de marcher dans certaines rues ou parcs ou encore la possibilité de le faire, mais avec crainte ou anxiété ». De nos jours, l'agoraphobie sert encore à décrire la peur de sortir dans des endroits publics, comme les rues et les magasins, ou de voyager dans divers véhicules. D'une part, certaines personnes présentent simplement une légère phobie des transports ou une peur des espaces clos sans autres problèmes; d'autre part, certains malades peuvent souffrir non seulement d'agoraphobie et d'autres phobies, mais également d'anxiété flottante, de dépression et d'autres difficultés.

Les autobiographies de personnes qui décrivent leurs problèmes nous instruisent souvent. En 1890, un Américain, agoraphobe depuis son mariage à vingt-deux ans, écrivait:

« Les premiers symptômes perceptibles se manifestèrent sous forme d'irritabilité nerveuse extrême, d'insomnie et de perte d'appétit. La moindre excitation me jette dans un état d'affolement qui m'écrase complètement: palpitations, respiration spasmodique, dilatation des yeux et des narines, mouvements musculaires convulsifs, difficultés à articuler, etc... Une sensation de danger immédiat semble apparaître, gâche tout plaisir et contrecarre toute ambition. La crainte de mort subite, très marquée au début, a diminué graduellement, cédant la place non pas à une peur de mourir subitement, mais de décéder dans des circonstances particulières ou loin de mon domicile. Je suis devenu très sensible à tout contact avec un grand nombre de personnes. Me retrouver au milieu d'un rassemblement me terrorise et je ne peux me soulager qu'en m'éloignant de cet endroit le plus tôt possible. Impulsivement, j'ai ainsi quitté des églises, des théâtres, même des funérailles, simplement à cause de mon incapacité à me contrôler. Depuis dix ans, je ne vais ni à l'église, ni au théâtre, ni à des assemblées politiques, ni à des rassemblements populaires, sauf si je peux rester à l'arrière, tout près de la sortie. »

« Aux funérailles de ma mère, même avec toute l'affection que j'avais pour elle, j'étais tout simplement incapable de demeurer en avant de l'église assis avec les autres membres de la famille. Ce problème m'a, en d'autres circonstances, privé de nombreux plaisirs et causé des dépenses considérables. Plus d'une fois, j'ai dû quitter un train bondé à moitié chemin à cause de mon inaptitude à endurer une légère bousculade et à faire face à la confusion du moment. D'aussi loin que je me souvienne, je suis allé dans des restaurants ou des salles à dîner à maintes reprises, j'ai commandé un repas que j'ai laissé, poussé par mon désir de fuir la foule. Combien de fois ai-je acheté des billets pour une pièce de théâtre, un concert ou une exposition, pour les donner avec joie lorsque le moment critique arrivait, réalisant alors mon impossibilité à faire face à la foule avec sang-froid. Pour illustrer ce point, je me souviens d'un voyage de Chicago à Omaha avec mon petit garçon. Lorsque j'entrai dans le wagon-lit, je m'aperçus qu'il était plein à craquer; j'en devins malade immédiatement. A mesure que le train avançait, je désespérais de plus en plus. J'ai finalement appelé le conducteur pour lui demander de me procurer une section pour moi seul. Pour dix dollars de plus, j'ai obtenu une couchette en première classe. Même si elle m'avait coûté cent dollars, je l'aurais prise sans penser au prix. »

« Ma peur des grands espaces a été très prononcée par moments. Plus d'une fois j'ai marché furtivement dans des allées plutôt que dans les grandes rues et j'ai souvent fait de longs détours pour éviter des pâturages ou des parcs, même lorsque j'étais en retard. Je cherche toujours quelque chose à atteindre pour me supporter en cas d'étourdissements. Ce sentiment est parfois si fort que, même lorsque je voyage en bateau, je ne peux regarder l'eau car je me sens poussé à sauter par-dessus bord, en proie à un véritable désespoir. Cette maladie a étranglé toutes mes ambitions, a tué tout orgueil personnel et a gâché tout plaisir... »

« Ma volonté n'a aucun contrôle sur mon problème. A l'occasion, soutenu par des stimulants ou par une excitation temporaire, j'ai fait face à des situations qui m'auraient habituellement terrassé; je dois donc céder ou endurer les conséquences. Je n'ai cependant aucune idée de ce que peuvent être les conséquences. »

Une autre autobiographie illustre comment l'agoraphobie restreint graduellement la vie des gens, s'étend à diverses situations et accompagne souvent un fond d'anxiété continuelle.

« Je suis maintenant dans la fleur de l'âge et je n'ai pas eu une seule bonne journée depuis l'âge de douze ans. Avant de ressentir les symptômes de l'agoraphobie, je me souviens que j'étais soudainement sujet à l'anxiété pour des périodes qui duraient environ trente minutes. Ma susceptibilité aux attaques augmentait lors d'énervements; par exemple, une de mes pires crises se manifesta aux funérailles d'un parent... au début de ma maladie, je me faisais beaucoup de souci et craignais mourir d'une attaque... Après l'assassinat d'un garçon du village, j'avais peur de rester seul, d'aller à la grange durant la journée et je souffrais terriblement lorsque je devais dormir dans la noirceur... Les premiers symptômes de l'agoraphobie survinrent au cours des mois suivants. Près de la maison, il y avait une grosse colline où les enfants avaient l'habitude de glisser durant l'hiver. Un soir, alors que j'accompagnais d'autres garçons du voisinage, j'ai ressenti une sensation très inconfortable à chaque remontée au sommet de la colline. Ce n'était pas un symptôme bien défini de cette horrible maladie, mais des expériences subséquentes m'ont appris que c'était déjà un signe prémonitoire. A mesure que les mois passaient, j'ai commencé à éprouver une très grande crainte des collines et des champs, surtout lorsque l'herbe était coupée. Ma peur des hauteurs débuta vraiment à ce moment. J'ai même eu peur des foules et plus tard des rues et des parcs. Ma peur des foules est presque disparue, mais les gratte-ciel et les récifs me terrifient toujours... Toute architecture disgracieuse intensifie ma peur. »

« La maladie est toujours présente... J'en suis conscient dès que je me réveille. Quand je traverse un boulevard, ma peur n'est qu'une aggravation d'un état permanent. »

Les symptômes de l'agoraphobie fluctuent beaucoup, parfois sans raison apparente. Le même malade continua à décrire ses problèmes et livra certains trucs qui lui rendaient la situation moins pénible, par exemple durant les orages, devant des paysages escarpés avec une vue limitée, ou lorsqu'il conduit une bicyclette et tient une valise. « Par moments, mes phobies s'aggravent; quelquefois, après une journée particulièrement astreignante, je me retrouve presque incapable de traverser ma chambre le lendemain matin. Par contre, à d'autres moments, je peux traverser la rue sans inconfort prononcé... »

« La plupart du temps, je me sens beaucoup mieux durant la soirée que le matin, parce que la noirceur semble avoir un effet reposant sur moi. J'adore les tempêtes de neige et le vent; je peux alors me rendre à la ville ou prendre un train, probablement à cause de la moins bonne visibilité. J'aime beaucoup sortir et marcher par mauvais temps. »

« J'ai peur d'aller en bateau par temps calme; je préfère de beaucoup les hautes vagues. Rien ne me repose plus que de me promener dans une forêt où il y a beaucoup d'arbres, du feuillage, des collines et un ruisseau... J'aime les paysages tranquilles et

reposants... Les endroits escarpés, accidentés ou déserts me paralysent de terreur... »

« Je peux aller à bicyclette sans grand inconfort alors que je
souffrirais à en mourir si je devais marcher. Lorsque je marche, je
me sens mieux si je porte une valise ou un gros sac à main auquel
je peux m'agripper... J'ai terriblement peur de traverser un pont
à pied... »

La douleur morale causée par l'agoraphobie est bien souvent cachée; en effet, certains agoraphobes réussissent à dissimuler leur problème pendant des mois sinon des années. Un malade publia sa triste histoire après avoir souffert d'agoraphobie
pendant quarante-huit ans. Seuls ses parents et ses amis intimes
connaissaient son handicap; habitant près du Campus, le malade
continua à travailler pendant tout ce temps comme professeur
d'anglais à l'Université. Ce récit montre clairement qu'il n'avait
jamais recherché d'aide médicale et qu'il menait une vie publique
active en dissimulant son incapacité.

L'agoraphobie se manifeste habituellement chez les adultes entre dix-huit et trente-cinq ans; pour des raisons inconnues,
elle est rare durant l'enfance. Des enfants atteints de phobie scolaire sévère peuvent parfois présenter de l'agoraphobie au cours
de leur adolescence. La névrose d'angoisse survient également
chez les deux sexes alors que l'agoraphobie se retrouve deux fois
plus souvent chez les femmes.

L'agoraphobie peut débuter à la suite de bouleversements
majeurs dans la vie, comme une maladie sérieuse, un danger important, le départ de la maison familiale, la mort d'un être aimé,
les fiançailles, le mariage, la grossesse, l'avortement et l'accouchement, ou encore après une scène déplaisante dans un magasin, sur la rue ou dans un autobus. Les malades retrouvent souvent un événement banal comme cause déclenchante de la maladie alors que le même événement a pu survenir antérieurement
sans causer aucun problème. Bien sûr, tout grand malheur peut
causer des troubles psychologiques autres que l'agoraphobie; la
dépression, la schizophrénie et même la thrombose coronaire
peuvent être déclenchées par des changements extraordinaires
dans la vie de certaines personnes. Cependant, certains sujets
développent de l'agoraphobie sans qu'aucune modification ne
soit survenue dans leur vie personnelle.

Les principaux facteurs retrouvés dans l'agoraphobie sont
les suivants: peur de se trouver dans les rues, les magasins, les
foules, les espaces clos comme les ascenseurs, les théâtres, les ci-

némas ou les églises, de voyager en métro, en train, en autobus, en bateau ou en avion, mais habituellement pas en automobile; peur de traverser des ponts, des tunnels, de se rendre chez le coiffeur, de demeurer seul à la maison ou de quitter le domicile. Ces peurs surviennent selon plusieurs combinaisons, varient dans le temps et sont souvent associées à d'autres problèmes, comme des attaques de panique, la dépression, les obsessions et les sentiments d'irréalité.

Certaines peurs sociales sont également présentes: peur de trembler, de rougir, de manger, de répondre à des gens, d'être dévisagé. Certains malades agoraphobes ont peur de vomir ou de voir d'autres personnes vomir.

Plusieurs personnes montrent de brèves périodes de symptômes agoraphobiques qui disparaissent cependant après quelques semaines ou quelques mois sans traitement. Le début peut être soudain, en quelques heures, plus graduel, en quelques semaines, ou se développer lentement après plusieurs années d'anxiété vague et intermittente.

Certaines personnes présentent d'abord une panique aiguë et soutenue puis des phobies qui les confinent à la maison pendant quelques semaines. D'autres souffrent d'abord d'anxiété flottante et deviennent graduellement agoraphobes avec les années. Plusieurs malades ont longtemps de la difficulté à sortir seuls, mais réussissent à dissimuler leur peur jusqu'à ce que de nouvelles situations accentuent leur anxiété; ils cherchent alors un traitement parce que la famille ne peut plus les supporter. Toutes les variations sont donc possibles entre ces deux extrêmes.

Une jeune fille de dix-huit ans eut une attaque subite en revenant de son travail et se mit à crier, croyant qu'elle allait mourir. Elle demeura au lit pendant deux semaines et refusa par la suite de marcher plus loin que la clôture qui entourait la maison. Elle ne s'améliora guère après un stage de quatre mois dans un hôpital psychiatrique et, revenue chez elle, elle ne quitta la maison que deux fois au cours des sept années suivantes. Elle passait son temps à parler avec les voisins, écoutait la radio et recevait un ami de qui d'ailleurs elle eut un enfant à l'âge de vingt-sept ans même si elle demeurait toujours chez sa mère. De trente-deux à trente-six ans, elle s'améliora un peu; elle pouvait aller dans les magasins près de chez elle et prendre l'autobus pour une courte distance. Avant que ses phobies ne commencent, elle était très sociable, avait plusieurs amis et allait souvent danser. Elle était frigide, mais, à partir de l'âge de trente-deux ans, elle rapporta qu'elle avait des orgasmes avec son ami.

A l'autre extrême, l'agoraphobie se développa très graduellement chez une jeune fille de dix-sept ans. Il s'agit d'abord d'une peur de quitter la maison, mais ce symptôme s'améliora lorsqu'elle reçut un traitement psychiatrique à l'âge de vingt ans. Après la naissance de son fils, à vingt-six ans, elle commença à avoir peur de rencontrer des gens et de se perdre dans une foule. Pendant les deux années suivantes, elle se limita à voyager à bicyclette ou en automobile pour se rendre chez sa mère qui demeurait à un mille de chez elle et, par après, elle devint incapable de laisser son domicile et cessa toutes courses dans les magasins. Elle s'améliora lorsqu'elle fut admise à l'hôpital, à l'âge de vingt-neuf ans, devint enceinte à son retour à la maison et s'améliora encore davantage après la naissance de son deuxième enfant. Six ans après sa sortie de l'hôpital, alors qu'elle a été vue en psychiatrie pour la dernière fois, elle pouvait seulement faire des courses près de chez elle, aller chercher son enfant à l'école et sortir avec son mari. Elle avait toujours été une personne timide, dépendante et dominée par sa mère. Elle était frigide sexuellement.

Typiquement, l'agoraphobie débute par des épisodes répétés d'anxiété en dehors de la maison, comme ceux qui ont été décrits pour la névrose d'angoisse. L'intensité de la panique peut aller jusqu'à clouer la victime sur place pendant quelques minutes; par après le sujet peut vouloir courir le plus tôt possible vers la sécurité, un ami ou la maison.

Une dame a décrit clairement la panique: « Au sommet d'une panique, je ne veux que courir. Je cours habituellement chez des amis fiables... et ce où que je sois. J'ai par contre ressenti que je devais résister à ce désir de me sauver; c'est pourquoi je ne me permets pas de me rendre dans un endroit sûr à moins d'être vraiment rendue à bout. Un de mes trucs pour garder mon contrôle était d'éviter d'utiliser cette dernière chance parce que je n'osais pas penser à ce qui m'arriverait si mes amis n'étaient pas à la maison. Je gardais donc en mémoire ce dernier argument. Ceci calmait souvent ma panique et me permettait de repartir à nouveau, de ne pas être assommante ni de perdre toute ma bonne volonté. Par moments, je me sentais complètement battue, honteuse et désespérée. J'avais honte même lorsque je n'avais pas à confesser le besoin que je ressentais. » Lorsque la panique est surmontée, la victime peut hésiter pendant des mois à retourner à l'endroit où l'attaque s'est manifestée.

L'appréhension d'une panique peut durer de quelques minutes à quelques heures. La panique peut passer rapidement, laisser la personne en pleine forme et ne survenir à nouveau qu'après plusieurs mois. Malgré des paniques successives, il peut s'écouler des années avant que la personne ne commence à restreindre ses activités. Ces épisodes d'anxiété aiguë amèneront probablement le sujet à consulter un médecin qui ne découvrira rien d'anormal sauf certains signes d'anxiété. Eventuellement, l'agoraphobe commencera à éviter certaines situations par crainte qu'elles ne provoquent de nouvelles attaques. Ainsi, lorsqu'un malade découvre qu'il ne peut pas quitter un train rapide dès le début d'une panique, il commence à prendre des trains qui arrêtent à toutes les stations; quand la panique se manifeste dans cette nouvelle situation, il se résigne successivement à prendre l'autobus, à marcher dans la rue, à déambuler le long des maisons jusqu'à ce que, finalement, il devienne même incapable de sortir de chez lui sans un compagnon. Beaucoup plus rarement, le malade peut prendre le lit pendant un bout de temps puisque sa chambre devient le seul endroit où l'anxiété est tolérable. Enfin, les agoraphobes ont des périodes où ils se sentent beaucoup mieux et d'autres où ils se sentent vraiment mal.

L'agoraphobie peut également fluctuer à la suite de certains changements chez les malades et dans leur environnement. Au cours de la première description complète de ce problème, il y a un siècle, on rapportait que « l'agonie augmentait aux heures où les rues étaient désertes et les magasins fermés. Les sujets ressentaient un grand calme en présence d'un compagnon ou même d'un objet inanimé, comme un véhicule ou une canne. L'utilisation de bière ou de vin permettait à certains malades de traverser sans grand inconfort l'endroit qu'ils craignaient. Un homme recherchait même la compagnie d'une prostituée qui le conduisait jusqu'à sa porte... Certains endroits sont plus difficiles d'accès que d'autres; par exemple, un malade avait moins peur de la campagne que des rues peu habitées. Un autre détestait particulièrement traverser un certain pont car il craignait de tomber à l'eau. Dans ce cas existait une appréhension de sombrer dans la démence ».

Les agoraphobes se sentent habituellement mieux avec un compagnon en qui ils ont confiance, qu'il s'agisse d'un humain, d'un animal ou d'un objet inanimé; ils deviennent ainsi dépendants du parent, de l'animal ou de l'objet pour garder leur calme. Plusieurs malades ont peur d'être laissés seuls dans les situations où ils ne peuvent atteindre la sécurité en vitesse et en dignité.

Dans les cas plus sévères, le besoin de compagnie constante crée beaucoup de tension chez les parents et les amis. Très exceptionnellement, certains malades ont plus de facilité à voyager seuls. Pour s'aider, certaines personnes utilisent des cannes, des parapluies, des valises, tiennent un journal plié sous le bras, poussent un carosse, une voiturette d'enfant ou une bicyclette. D'autres utilisent des bonbons en grande quantité. Il est plus facile pour les malades de voyager en train si celui-ci s'arrête fréquemment et s'il y a un corridor et un cabinet d'aisances. Ils peuvent aussi plus facilement faire des courses si leur route les amène à passer devant un poste de police ou devant la résidence d'un ami ou d'un médecin, sachant qu'ils pourront trouver facilement de l'aide s'ils sont pris de panique. Si la victime sait que l'ami ou le médecin n'est pas à la maison ce jour-là, l'expédition devient alors beaucoup plus difficile. C'est donc la possibilité d'avoir de l'aide qui diminue leur anxiété avant de quitter la maison. Un malade pouvait prendre un autobus qui passait devant un poste de police car il pouvait s'y arrêter si la tension était trop importante. Certains agoraphobes peuvent parfois conduire eux-mêmes leur automobile pour de longues distances même s'ils sont absolument incapables de prendre l'autobus. Ces malades aiment souvent mieux la noirceur et peuvent sortir plus facilement la nuit que le jour. Certains portent même des lunettes de soleil qui leur procurent un peu de soulagement. D'autres s'améliorent lorsqu'il pleut et se détériorent lorsque la température devient clémente.

Quand un agoraphobe va au cinéma, au théâtre ou à l'église, il est moins effrayé s'il trouve un siège au bord d'une allée et près de la sortie, ce qui lui permettra de fuir à la moindre panique. La proximité d'un téléphone pour atteindre une personne en qui il a confiance peut procurer un soulagement similaire. Ces gens préfèrent demeurer au rez-de-chaussée, près de la sortie principale de l'édifice, plutôt qu'à des étages supérieurs dont l'accès n'est possible que par l'ascenseur ou par les escaliers.

Un club de correspondance pour les phobiques a rassemblé tous ces traits dans le personnage humoristique appelé Aggie Phobie: c'est une femme qui marche la nuit, sous la pluie, portant des lunettes fumées, suçant avidement des bonbons, tenant d'une main un chien en laisse et tirant péniblement une voiturette de l'autre.

Les différents trucs qui peuvent aider ces malades varient d'un objet à l'autre. Un homme agoraphobe devait enlever sa ceinture quand il avait une attaque d'anxiété. Une femme avait l'impulsion de se déshabiller chaque fois qu'elle était prise de panique; pour s'empêcher de succomber à son impulsion, elle ne portait que des sous-vêtements qui se fermaient à l'avant au moyen d'une fermeture éclair et emportait avec elle une paire de ciseaux et une bouteille de bière en quittant son domicile. Un vieil officier de l'armée souffrait d'anxiété lorsqu'il traversait un parc en civil; il se sentait beaucoup mieux quand il portait son uniforme, avec son sabre à ses côtés. Un homme pouvait parfois affronter une foule quand il tenait dans sa main une bouteille d'ammoniaque au cas où il perdrait connaissance. Enfin, un commis qui avait également peur des foules gardait toujours dans sa poche une bouteille de médicaments sédatifs bien qu'il n'en avait jamais fait usage. Tous ces trucs sont des fétiches magiques.

De légers changements dans le panorama peuvent aussi affecter l'intensité de l'agoraphobie. Habituellement, plus l'espace est grand, plus la peur est marquée. La présence d'arbres ou d'irrégularités dans le paysage diminue la phobie. Un agoraphobe est devenu anxieux au cours d'une soirée champêtre chez un de ses amis; il aurait été soulagé, disait-il, s'il avait pu briser la clôture autour de la maison. Un prêtre était étourdi aussitôt qu'il faisait face à un grand espace, mais obtenait un certain apaisement en suivant les arbres et les arbustes ou lorsque, en dernier ressort, il ouvrait son parapluie.

Certains agoraphobes détestent être confinés à la chaise du barbier, du dentiste ou de la coiffeuse parce qu'ils ne peuvent pas fuir immédiatement. Quelqu'un a d'ailleurs déjà parlé du « syndrome de la chaise du barbier ». Certaines personnes sont même incapables de prendre leurs bains nues à cause des difficultés évidentes en cas de fuite. Lorsqu'il attend dans la rue ou sur la plate-forme d'une gare, l'agoraphobe peut se sentir enclin à sauter devant l'autobus ou le train et se retourner lorsque le véhicule arrive. Cette peur, tout comme l'impulsion des gens normaux à sauter lorsqu'ils regardent en bas d'un grand édifice, est contrecarrée si l'on se tient loin de ces situations ou si on les évite complètement. La peur des ponts est similaire, surtout les grands ponts étroits avec des côtés ouverts qui surplombent de très haut un fleuve ou une rivière. Déjà la présence d'un parapet diminue fortement la peur.

La peur d'avoir peur handicape également ces malades. L'agoraphobe peut souffrir d'anxiété anticipatoire pendant des semaines avant un voyage. Si le voyage survient de façon inattendue, le malade démontre parfois une performance étonnante. Il peut prendre place dans un autobus s'il n'a pas à attendre, mais, au moindre retard, la panique survient rapidement et l'empêche de monter à bord du véhicule.

Tout stress peut augmenter l'agoraphobie. Au cours d'un épisode dépressif, les phobies du malade augmentent; lorsque la dépression s'améliore, les phobies reviennent de nouveau à leur niveau antérieur d'incapacité. Il en est de même pour la fatigue et la maladie physique; si le malade est alité pendant un certain temps, il lui sera par après beaucoup plus difficile de revenir à son degré d'amélioration antérieure.

Comme pour l'anxiété, l'alcool et les médicaments sédatifs peuvent soulager le sujet pendant quelques heures. La médication améliore temporairement le malade, mais habituellement l'effet s'atténue lorsque la drogue a été excrétée. Certains patients gardent continuellement sur eux des pilules qu'ils prennent soit avant de sortir soit au moindre stress. Rares sont ceux qui deviennent toxicomanes ou alcooliques; la plupart réussissent à cesser leur médication ou l'alcool lorsque l'anxiété disparaît.

Enfin, une émotion intense dissipe parfois l'agoraphobie pendant un moment. Certains agoraphobes confinés à la maison réussissent à sortir lorsqu'ils sont fortement en colère ou lors d'une urgence, comme par exemple, l'incendie d'une maison voisine.

Impact sur la famille

La plupart des agoraphobes vivent avec leur famille. A mesure que l'incapacité augmente, la famille devient inévitablement engagée dans le problème du malade. L'épouse a besoin d'une escorte pour aller et revenir de son travail ou elle cesse complètement de travailler; le mari et les enfants doivent faire les emplettes à sa place; ses activités sociales se restreignent de plus en plus pour, finalement, être complètement abandonnées. Parfois, même la présence d'un compagnon devient indispensable à la maison; à ce moment, un enfant doit s'absenter de l'école pour tenir compagnie à sa mère, ou le mari doit quitter son emploi pour demeurer avec sa femme. Les nombreuses restrictions des activités du malade provoquent bien sûr plusieurs frictions entre les conjoints. Une dame avait si bien arrangé sa vie qu'elle n'avait jamais quitté son domicile pendant seize ans de mariage, au grand détriment de son époux et de sa fille.

Le sujet peut dissimuler son incapacité pendant des années

s'il conduit une voiture, puisque même de grands agoraphobes se sentent parfois en pleine sécurité en automobile. Il en est de même quand le malade peut travailler à la maison et qu'il a de l'aide.

Le rôle de la volonté

La motivation peut aider le phobique à augmenter son niveau de tolérance qui fluctue également selon les circonstances; par exemple, lors d'un accident, ces malades peuvent surmonter temporairement leur phobie et prendre des risques. L'urgence passée, la phobie apparaît de nouveau dans sa forme originale. L'histoire du cas suivant démontre ce point. Une juive pouvait seulement s'éloigner de quelques rues de son domicile à Vienne; à l'arrivée des nazis, elle avait le choix de se sauver ou de se retrouver dans un camp de concentration. Elle fuit les Allemands et parcourut presque la moitié du globe pendant deux ans pour enfin arriver aux Etats-Unis; après s'être installée à New York, elle développa la même phobie qu'elle avait à Vienne.

Cette fluctuation de la maladie rend l'agoraphobie difficilement acceptable pour la famille et les amis qui refusent de la considérer comme un problème psychologique; ils la voient plutôt comme de la paresse, un manque de volonté ou une façon de se sauver de situations malencontreuses. Les gens disent souvent que si le malade peut maîtriser ses phobies dans une situation urgente, il doit davantage se secouer pour sortir lorsqu'il n'y a pas d'urgence. En fait, personne ne rassemble la même énergie pour se rendre au magasin du coin que pour sortir d'une maison en flammes. Nous pouvons tous faire des exploits étonnants dans une situation de crise, mais il est impossible de demander de telles prouesses de façon routinière. Chez l'agoraphobe qui a déjà beaucoup d'anxiété, toute tentative demande de grands efforts.

Les agoraphobes maîtrisent difficilement leur volonté lors d'anxiété flottante et de dépression. Une femme de trente et un ans rapporte: « Je pouvais à peine me traîner au bureau et y demeurer jusqu'à la fin de la journée. J'étais toujours épuisée, j'avais toujours froid; mes mains suaient profusément; je pleurais facilement. J'avais peur de me mettre au lit, mais je dormais pour me réveiller avec un terrible mal de tête, des étourdissements et un rythme cardiaque très accéléré. En plus de ces symptômes, j'avais des poussées de panique suivies de dépression. Les paniques m'écrasaient tout simplement. J'étais plus effrayée lorsque j'étais seule et un peu moins en présence d'autres personnes. Je me sentais calme et en sécurité avec seulement trois personnes bien que même avec elles, je devais retenir mes peurs. »

Lorsqu'un agoraphobe se sent confortable loin de la situation anxiogène, il vaut alors la peine de le motiver à sortir pour prendre le dessus sur sa phobie. D'ailleurs, certains malades surmontent leur difficulté par accident. C'est ce qui est arrivé à une malade qui a subi une opération, appelée lobotomie, pour une agoraphobie sévère. Après l'intervention, elle se sentit beaucoup plus relaxée, même si elle demeurait toujours à la maison. Par hasard, un an plus tard, une amie la visita et oublia son mouchoir. La malade sortit en courant dans la rue pour rapporter le mouchoir et, à sa surprise, elle s'étonna de son calme. Elle tenta systématiquement d'en faire de plus en plus et elle se portait beaucoup mieux quatre ans plus tard.

Il est clair que la motivation et la volonté ne sont pas suffisantes pour guérir ces problèmes, mais ces facteurs importent autant chez les autres malades psychiatriques, une fois l'anxiété et la dépression améliorées.

Les clubs d'agoraphobes

Plusieurs organisations d'entraide existent dans différents pays pour les agoraphobes. En Angleterre, un club de correspondance appelé *The Open Door* compte environ 3 000 membres. Cette association distribue un bulletin de nouvelles et organise des sorties de groupe. La Hollande, l'Australie, la Colombie-Britannique (Vancouver) et la Californie (Terrap) possèdent des organisations similaires. Plusieurs personnes joignent ces clubs, apprennent qu'ils ne sont pas les seuls dans cette condition et reçoivent parfois des conseils utiles pour faire face à leurs problèmes quotidiens. D'autres refusent de devenir membres de ces organisations car ils croient qu'écouter les problèmes des autres leur fera plus de tort que de bien.

Traitement de l'agoraphobie

Il existe depuis quelques années, des traitements efficaces pour un soulagement durable des phobies. Ces nouvelles thérapies consistent pour la plupart à persuader le phobique d'entrer et de demeurer dans la situation anxiogène à plusieurs reprises jusqu'à ce qu'il s'habitue et ne ressente plus aucune crainte. Le principe de ces diverses méthodes est l'exposition prolongée du malade à son problème. L'approche thérapeutique générale est esquissée dans le dernier chapitre de ce livre, mais il est peut-être intéressant d'évaluer ici ces traitements chez deux agoraphobes.

Jill, une femme mariée de quarante ans, souffrait d'agora-phobie depuis quinze ans; depuis un an, elle était absolument incapable de quitter son domicile sans son époux Jack. A la pre-mière entrevue, elle se mit d'accord avec le thérapeute pour choi-sir deux objectifs à atteindre avant la fin du traitement: traverser seule une rue achalandée et se rendre au supermarché le plus près de chez elle.

Avec le thérapeute, elle se rendit dans la rue en face de l'hôpital et celui-ci l'aida à traverser à plusieurs reprises. Le thé-rapeute s'éloigna graduellement de la malade, demeurant d'abord à quelques verges en arrière d'elle et mettant de plus en plus de distance entre elle et lui. Après une heure et demie de traitement, Jill était très contente et surprise de ce qu'elle était arrivée à ac-complir; elle se sentait également beaucoup plus calme. Le thé-rapeute lui demanda de s'exercer à traverser des rues près de chez elle, où la circulation était similaire avant de revenir à la pro-chaine séance. A la séance suivante, on répéta le même manège, mais, cette fois, la malade s'éloigna beaucoup plus du thérapeute et de l'hôpital. Elle rapporta qu'elle était encore prise de panique dans certaines rues, qu'elle avait demandé de l'aide à des gens et qu'un ami devait l'aider à traverser la rue pour aller dîner. On lui demanda d'aller et de revenir de son travail seule en autobus plutôt que de se fier à des gens pour la ramener à la maison. Le thérapeute élabora un programme qui incluait des distances de plus en plus grandes à pieds et en autobus. Elle devait compléter une étape entre chacune de ses visites à l'hôpital. A la fin de la huitième séance, Jill faisait régulièrement ses courses toute seule, sans aucune anxiété, et s'était beaucoup améliorée lorsqu'elle avait à traverser des rues. Elle reçut son congé à ce moment-là, mais elle dut continuer à se fixer des buts à accomplir. La malade s'améliorait toujours après six mois de postcure.

Le traitement prend parfois beaucop plus de temps. John, un professionnel de cinquante-huit ans, était agoraphobe depuis vingt-cinq ans et son anxiété l'avait poussé à boire au point de compromettre son emploi. Il était incapable de sortir seul à l'ex-térieur de l'hôpital et, à chaque fois qu'il marchait dans de grands espaces, il traînait un grand sac à provisions pour se tenir « en contact » avec le sol. Il trouvait très difficile de voyager en métro ou en autobus, de visiter des endroits achalandés, de conduire une automobile sur une voie élevée, de traverser une intersection et de monter des escaliers. Ces difficultés entravaient sa vie professionnelle car il devait visiter des clients et faire des conférences.

John fut soumis aux soins d'une infirmière qui avait appris les nouvelles méthodes de traitement. Tout d'abord, le malade et sa thérapeute se fixèrent cinq objectifs à atteindre au cours de la thérapie: monter un escalier jusqu'au troisième étage, voyager en train, visiter des endroits achalandés, marcher le long d'une route étroite où la circulation est dense et conduire une automobile sur une voie élevée. Au début du traitement, l'infirmière accompagna John et tous deux quittèrent l'hôpital pour se rendre à une rue avoisinante; le malade s'accrocha souvent aux lampadaires ou marcha tout près des arbres en suant profusément. Cependant, il s'habitua à la situation et put marcher beaucoup plus loin de l'hôpital jusqu'au village voisin. Durant les neuf premières séances, il marcha dans le village, d'abord accompagné de l'infirmière puis seul par après et, graduellement, son anxiété diminua. La thérapeute s'attaqua par la suite au problème des hauteurs. En premier lieu, elle demanda au malade de rester en haut d'un escalier, à l'intérieur de l'hôpital; aidé de l'infirmière, il demeura sur place malgré un malaise important. Après avoir appris à tolérer cette situation, on lui demanda de gravir un escalier plus haut et plus abrupt dans un immeuble avoisinant. De cette façon, il reprit lentement confiance en lui. A la dix-septième séance, il monta des escaliers dans des édifices publics et traversa un pont réunissant deux artères achalandées. A un moment donné la situation devint intolérable et l'infirmière dut arrêter la séance quand John, en panique, s'accrocha à elle, terrifié qu'il était par les regards des passants. A la séance suivante, la thérapeute persista avec gentillesse à l'aider à traverser le pont et il fit des progrès constants. John accepta alors de traverser seul un pont pour piétons sur la Tamise, mais refusa d'aller plus loin que dix verges la première fois. Au début, John ne faisait pas les exercices prescrits par l'infirmière entre les séances, mais il commença à coopérer davantage à ce stade du traitement. Il conduisit sa voiture deux fois par jour sur une voie élevée, voyagea en train, se promena dans des rues achalandées et visita des centres commerciaux. Il réussit à s'abstenir de prendre de l'alcool; l'infirmière de même que sa famille le félicitèrent pour ses efforts. Après trente-neuf séances, John reçut son congé de l'hôpital, retourna vivre chez lui et continua à se traiter lui-même. Il alla s'asseoir seul dans des amphithéâtres vides puis se mit à assister à des conférences, prenant d'abord un siège près d'une allée et avançant graduellement vers l'avant de la salle d'où il était plus difficile de fuir. Il craignait souvent de se rendre ridicule, mais ses paniques diminuèrent avec le temps. Il recommença à participer aux conférences requises pour son travail et rapporta se sentir presque complètement à l'aise.

Après sa sortie de l'hôpital, John appela régulièrement l'infirmière qui l'avait traité. Un an plus tard, il se sentait beaucoup mieux et avait repris une vie professionnelle productive; il faisait face à ses responsabilités et n'avait pas touché à l'alcool. Il avait fait un voyage de 200 milles en train, assistait régulièrement à des soirées et allait au cinéma, au théâtre, au concert de même qu'à des réunions professionnelles. Il avait même donné des cours du soir. Son épouse était certes très satisfaite de ses progrès.

Ces méthodes d'exposition aux situations anxiogènes peuvent aider les agoraphobes et leurs proches à mener une vie plus normale. Quatre à quatorze séances de traitement suffisent habituellement. Ce type de thérapie demande des efforts considérables de la part du malade et du thérapeute, mais l'amélioration sensible persiste ordinairement même s'il reste une certaine anxiété. Notons enfin que les médicaments ne jouent qu'un rôle secondaire dans le traitement. Les médicaments antidépresseurs peuvent améliorer les agoraphobes qui présentent des symptômes de dépression, ce qui est assez fréquent, et les sédatifs, comme le diazepam, peuvent réduire l'anxiété temporairement.

Les phobies sociales

La plupart des gens deviennent légèrement anxieux en société, ce qui est parfaitement normal. C'est pourquoi plusieurs hommes publics se plaignent de palpitations avant une apparition importante. Un peu d'anxiété ne fait pas de mal puisqu'elle aide à demeurer alerte; ce n'est que lorsque la peur des situations sociales devient trop grande qu'elle commence à briser nos capacités. Hippocrate a décrit un malade atteint de ce problème: « Tous ignorent sa timidité, sa méfiance et sa crainte; il aime la noirceur et ne peut regarder la lumière ou s'asseoir dans des endroits éclairés; il met son chapeau sur ses yeux pour ne pas voir ni être vu. Il ne participe à aucun groupe par crainte d'être malade, ridiculisé et disgracié ou de se comporter de façon grotesque en gestes ou en paroles; il croit que tout le monde l'observe... »

Plusieurs personnes sont phobiques dans différentes situations sociales; elles ont peur des gens ou de ce qu'ils pensent.

D'une part, les agoraphobes manifestent une phobie des foules, mais surtout sous la forme d'une peur d'être écrasés ou enfermés et de suffoquer dans la foule plutôt que d'être vus ou surveillés. D'autre part, les gens souffrant de phobies sociales sont très conscients d'être observés et capables d'agir assez librement si personne ne les regarde. Le moindre regard peut précipiter un déclenchement de panique.

Les phobies sociales ne sont pas rares; les victimes peuvent être effrayées à l'idée de manger ou de boire en face d'autres personnes, craindre que leurs mains ne se mettent à trembler en tenant une fourchette ou une tasse; se sentir nauséeux ou avoir une boule dans la gorge et être incapables d'avaler aussi longtemps que d'autres les regardent. Comme un malade le rapportait: « Je ne peux absolument pas manger dans des endroits inconnus car ma gorge semble ne pas vouloir s'ouvrir plus qu'un quart de pouce et je sue abondamment. » La peur augmente habituellement dans des restaurants huppés et achalandés; elle s'amoindrit beaucoup à la maison même si, là encore, certaines personnes sont incapables de manger en présence de leur conjoint. Incapables de prendre un repas à l'extérieur ou d'inviter des amis à la maison, ces personnes restreignent donc fortement leur vie sociale.

Par crainte de trembler, de rougir, de suer ou de se sentir ridicules, certaines personnes ne s'assoient pas en face d'autres passagers dans un autobus ou dans un train et refusent d'attendre dans une file de gens. Elles ont peur d'attirer l'attention à cause de leur comportement stupide ou de perdre connaissance. D'autres quittent leur domicile seulement à la tombée du jour ou par temps brumeux pour ne pas être vues facilement, évitent de parler à leurs supérieurs et rejettent toute demande d'apparition en public; elles peuvent cesser de pratiquer la natation par crainte d'exposer leur corps à la vue des étrangers. Plusieurs n'assistent jamais à des soirées mondaines à cause de leur embarras: « Je ne peux pas avoir une conversation normale avec les gens car je sue terriblement; j'ai ce problème même avec ma femme », disait un homme qui réussissait malgré ce handicap à avoir des relations sexuelles normales avec son épouse. La phobie de certains malades apparaît seulement lorsqu'ils sont en présence de personnes du sexe opposé, mais elle se manifeste la plupart du temps devant les membres des deux sexes.

Nombreux sont ceux qui ont peur d'écrire en public; ils ne vont pas à la banque ou dans les magasins par crainte de trembler en faisant un chèque ou en donnant de l'argent en présence d'autres personnes. A cause de ce problème, une secrétaire cessa de prendre la dictée et d'écrire à la machine, un professeur arrêta d'écrire au tableau et de donner des dictées, une couturière quitta son emploi dans une usine et un ouvrier refusa de travailler sur une chaîne de montage. Des activités aussi anodines que tricoter ou attacher un manteau peuvent déclencher une panique lorsqu'elles sont accomplies en présence d'autres personnes.

Par contre, malgré toute leur anxiété, il est plutôt rare que ces personnes tremblent au point d'avoir une écriture illisible, de faire du bruit avec leur tasse ou d'avoir des hochements prononcés de la tête. Elles présentent donc un tableau différent des sujets atteints de la maladie de Parkinson. Cette maladie neurologique provoque des tremblements involontaires de la tête et des mains. Malgré leur infirmité, ces malades n'ont cependant aucune peur de se présenter en public.

La phobie de vomir

Certaines personnes craignent de se mettre à vomir en public ou de voir d'autres personnes vomir en public. Habituellement, cette crainte n'entraîne pas beaucoup d'incapacité; cependant, chez quelques malades atteints de phobie sociale, elle rejoint des proportions telles qu'ils évitent toute situation qui pourrait provoquer des vomissements, comme par exemple voyager en autobus, en train, en bateau ou même manger des oignons.

La malade suivante présente une phobie sociale typique.

Une secrétaire de trente-quatre ans, célibataire, avait peur de vomir depuis treize ans. « Lorsque j'étais jeune, ma mère était incapable d'aider les enfants lorsqu'ils vomissaient; elle demandait toujours à mon père de nettoyer les dégâts. Je me souviens que vers l'âge de cinq ans, j'étais bouleversée lorsque d'autres enfants vomissaient, mais je n'ai pas développé de phobie avant l'âge de vingt et un ans. A ce moment, j'ai commencé à avoir peur de me mettre à vomir ou de voir d'autres personnes dégobiller dans le train et j'ai cessé de voyager à certains endroits. Cette peur a grandement augmenté au cours des cinq dernières années. Je me lève à cinq heures du matin pour aller travailler afin d'éviter l'heure d'affluence. Même avec beaucoup d'efforts, je peux rarement retourner à la maison à l'heure de pointe. Depuis deux ans, je bois une bouteille de brandy par semaine pour calmer ma crainte, en plus de prendre des sédatifs à l'occasion. J'ai même peur de devenir alcoolique. Depuis cinq ans, j'évite de manger dans des endroits publics, dans des restaurants ou chez des étrangers. Je ne vais plus au théâtre avec des amis parce qu'il m'est plus facile de quitter la salle si je suis seule. Ce qui est le plus drôle, c'est que je n'ai jamais ni vomi en public, ni jamais vu personne le faire depuis plusieurs années. » Seule, la malade n'avait aucune anxiété, n'était pas déprimée et accomplissait son travail sans bavure. Après le traitement, elle recommença à manger seule et avec d'autres dans des restaurants, sans anxiété indue. Elle se mit à voyager en métro et pris goût à rencontrer des gens.

Une autre femme de quarante-six ans avait souffert de la même peur depuis sa tendre enfance. « Je suis incapable de me mêler aux gens, craignant constamment qu'ils tombent malades. Ma vie est tellement restreinte que je prends souvent des somnifères l'après-midi pour raccourcir la journée. Ma fille unique est enceinte et vomit presque sans cesse depuis les dernières dix semaines. Je la visite et la réconforte, mais personne ne connaît ma terrible peur. Lorsqu'elle vomit, je sors de la maison ou je fais jouer la radio plus fort; il me semble que c'est le bruit des vomissements qui m'effraie à un point que j'ai souhaité devenir sourde. Je ne prends pas des somnifères pour m'endormir, mais plutôt parce que cette peur constante semble m'abandonner pour quelques heures. Même si je dors avec des bouchons dans les oreilles, une toux subite ou le moindre mouvement de mon mari suffisent pour m'éveiller en tremblant et en suant parce que je pense qu'il peut être malade. »

Bien que la plupart des autres phobies soient plus fréquentes chez la femme, les phobies sociales se retrouvent assez également chez les deux sexes et commencent entre quinze et vingt-cinq ans comme l'agoraphobie. Elles se développent graduellement pendant des mois ou des années sans cause apparente. Elles surgissent parfois subitement à la suite d'événements précipitants comme chez cette jeune femme qui s'était sentie malade au cours d'une danse et qui avait vomi avant d'atteindre les toilettes; elle développa par la suite une peur d'aller à des danses, à des soirées ou dans des bars.

Des situations qui créent beaucoup d'émotions peuvent sensibiliser une personne à développer une phobie sociale. La peur de trembler en public survint pour la première fois au mariage d'une jeune femme quand, en marchant dans l'allée avec son père, elle se demanda si son futur époux était vraiment l'homme de sa vie. La peur augmenta peu après au cours d'une hospitalisation de son mari lorsqu'elle alla seule à un restaurant.

Ces malades n'ont pas seulement peur des situations sociales, mais ils sont également anxieux et déprimés par moments. Certains présentent un tableau qui ressemble étrangement à l'agoraphobie sévère; l'exemple suivant le démontre:

Une secrétaire de vingt ans, célibataire, avait des phobies sociales depuis trois ans. Au cours de la dernière année, elle n'était jamais sortie seule, sauf pour se rendre à son travail qu'elle avait quitté depuis deux mois. Elle dut venir à l'hôpital accompagnée de sa mère. Elle avait peur d'être regardée par les gens, de trembler lorsqu'elle buvait en public, peur de marcher ou d'assister à une soirée mondaine. En plus, même à la maison, elle était continuellement tendue, tremblotante et inquiète; à l'occasion, elle était sujette à des attaques de panique sans raison précise. Seuls l'alcool et les médicaments diminuaient légèrement son anxiété. Enfin, depuis deux ans, elle pleurait souvent et se plaignait de symptômes dépressifs.

Malgré les nombreuses scènes de violence rapportées dans les journaux et présentées à la télévision, le manque d'affirmation de soi demeure une plainte fréquente, même chez des gens bien adaptés. Certains craignent d'accepter des promotions et restreignent leurs activités à cause de ce problème. Un jeune homme qui avait toujours été timide depuis son enfance vit sa gêne augmenter à la suite d'une bataille dans une salle de danse; il avait alors dix-huit ans. Mécanicien dans un garage, ses patrons lui offrirent le poste de gérant qu'il refusa sous prétexte de ne pouvoir s'affirmer suffisamment avec les employés. Néanmoins, il pouvait faire des colères à la maison, et il s'affirmait davantage avec sa femme qu'avec toute autre personne. Il menait par ailleurs une vie sexuelle normale.

Il est difficile de savoir à quel moment la timidité devient une phobie sociale; lorsqu'elle est très prononcée, dans des situations particulières, l'étiquette « phobie » semble justifiée.

Une timidité extrême peut empêcher les gens de se faire des amis et les acculer à une grande solitude et à de l'isolation sociale. Plusieurs personnes mènent une vie très solitaire parce qu'elles craignent d'entrer en contact avec les autres et croient qu'elles sont ridicules et stupides; c'est pourquoi elles ne font jamais les premiers pas. Elles se trimballent de leur travail routinier à leur foyer et ne parlent à personne; la lecture, la télévision et les promenades nocturnes sont leurs seuls loisirs. Certains malades vivent en ermite, aux crochets du bien-être social, en chambre, isolés et sans travail à cause de leur peur des gens ou d'un manque d'entregent; leur crainte peut même les amener à boucher leurs fenêtres avec des stores ou des rideaux opaques pour que personne ne les voie. Cette incapacité se retrouve parfois dans la schizophrénie paranoïde où les malades se sentent persécutés et se cachent de leurs supposés agresseurs.

Les obsessions portant sur des défauts physiques peuvent handicaper grandement et entrer dans le chapitre des phobies sociales. Plusieurs personnes croient qu'elles sont trop grasses, trop maigres, trop petites ou trop grandes; d'autres s'en font à propos de la forme de leurs oreilles, de leur calvitie ou de la grosseur de leurs seins. Cependant, la plupart apprennent à vivre avec leur corps; certains chanteurs et acteurs se font d'ailleurs une gloire de leur obésité ou de leur énorme nez et se servent de leur anomalie comme marque de commerce amusante et profitable.

Par contre, une minorité d'entre eux refusent d'accepter leur apparence physique et dépensent un temps énorme à se préoccuper de leurs petits défauts.

Un jeune homme s'imaginait que son nez était croche, mais cette observation était loin d'être évidente, même pour l'observateur le plus scrupuleux. Pour cette seule raison, il avait cessé d'utiliser les transports en commun, ne voyageait plus depuis un an et avait abandonné ses amis. Il fallut même beaucoup de persuasion pour lui faire écrire une phrase comme « Mon nez est laid » tellement il était anxieux.

La préoccupation d'un autre malade portait sur la chute de ses cheveux; il croyait que ses cheveux arrêteraient de tomber s'il cessait de se regarder dans le miroir. Il commença à avoir peur de se regarder dans les miroirs et de revoir ses photographies, devint même incapable de mettre sa main sur sa tête et s'isola de plus en plus socialement.

Les spécialistes en chirurgie plastique voient une foule de patients qui veulent avoir un nez plus petit, plus gros ou plus droit, des oreilles moins décollées ou un ventre plus lisse. La plastie peut améliorer des défauts évidents, mais, trop souvent, ces anomalies sont si discrètes que la chirurgie ne peut rien faire; le sujet doit donc se réconcilier avec son apparence et faire face à la situation.

L'anxiété peut aussi être reliée aux odeurs. Certains sujets croient qu'ils sentent très fort même s'ils se lavent souvent et utilisent des désodorisants; à cause de cette croyance, ils évitent de sortir et s'isolent socialement.

Il en est de même pour la crainte des maladies. L'apparition de rougeurs fait croire à certaines personnes qu'elles ont le cancer et la moindre lésion au niveau du pénis peut provoquer la phobie d'une maladie vénérienne.

Enfin, certains phobiques craignent d'entendre les gens ou de les voir. Entendre des voix dans une pièce voisine ou répondre à la porte peut engendrer de l'anxiété. Même l'utilisation du téléphone s'avère parfois pénible. « J'ai tellement peur de répondre au téléphone, disait une femme, que j'ai établi un code avec mon mari et mes enfants; de cette façon, je sais quand ils m'appellent. Dans tous les autres cas, je ne réponds pas. Je n'avais pas ce problème quand je travaillais parce que je savais que c'était par affaires, mais à la maison je suis tout simplement terrifiée. » Des secrétaires ont abandonné leur emploi à cause de cette difficulté. La peur de bégayer s'accentue lors d'appels téléphoniques, mais elle peut survenir à la moindre demande d'information dans les magasins ou les restaurants.

Traitement des phobies sociales

Tout comme pour l'agoraphobie, le traitement des phobies sociales se fait habituellement en clinique externe; il ne nécessite donc pas d'hospitalisation. L'approche thérapeutique ressemble à celle de l'agoraphobie: le thérapeute encourage fortement le malade à entrer dans la situation anxiogène et à y demeurer jusqu'à ce qu'il se sente mieux. Voyons l'application de ce traitement chez Emma.

Emma était une jeune secrétaire de vingt-six ans qui, depuis sept ans, présentait une grande anxiété quand elle devait manger ou boire en compagnie d'autres personnes. Le tout débuta lorsqu'elle travaillait pour une grande compagnie. Un jour, une amie lui raconta comment elle s'était sentie nerveuse lors d'un cocktail chez son patron; peu après, la direction demanda à Emma d'assister à une réunion des comptables. Au cours de l'assemblée, elle éprouva une panique et tous rirent d'elle. A partir de ce moment, elle évita de manger et de boire en public. A son travail, elle se sentait même mal à l'aise quand il s'agissait de prendre le café ou le thé avec ses collègues. Lorsqu'elle devait partager un repas avec une amie, Emma tolérait assez bien la situation, si elle prenait quelques verres de vodka avant et durant le repas; au cours d'une soirée, elle se rendait à la toilette à quelques reprises pour ingurgiter de la boisson. Par contre, dans les endroits publics où elle n'avait pas à boire ou à manger, comme par exemple au cinéma, elle ne se préoccupait absolument pas de ce problème.

Six séances de thérapie lui suffirent pour surmonter son handicap. Accompagnée de son thérapeute, elle passa d'abord trente minutes dans un restaurant à boire du café, puis des boissons gazeuses dans un autre endroit moyennement achalandé, et enfin des boissons gazeuses encore dans un bar bondé de clients. A la fin de cette séance, le thérapeute lui permit de prendre un verre d'alcool. Entre les séances, Emma devait chaque jour dîner au restaurant et prendre un café à un snack-bar l'après-midi; elle devait demeurer dans ces endroits jusqu'à disparition totale de l'anxiété. A la dernière séance, le thérapeute lui demanda de transporter des plateaux de thé et de café pendant deux heures et de les distribuer au personnel et aux malades de la clinique externe. Elle trouva cette tâche difficile au début, mais s'y habitua avec le temps. Peu après le traitement, elle fréquenta à nouveau les bars et participa à quelques réunions amicales sans aucune panique. Elle reprit confiance en elle, devint de meilleure humeur et n'évita plus aucune situation sociale. A la postcure de six mois, l'amélioration clinique se maintenait toujours.

Le traitement peut parfois se compliquer lorsque des techniques de jeu de rôles doivent être utilisées, comme ce fut le cas pour Pat. Agée de dix-neuf ans, Pat était commis de bureau et manifestait des peurs sociales depuis quatre ans. Elle devenait très anxieuse quand elle visitait des gens et ne pouvait absolument pas partager un repas avec d'autres. Elle pouvait manger seule au restaurant ou à la cafétéria, mais était incapable d'avaler la moindre bouchée en présence d'autres personnes à la même table; elle n'avait même jamais pris un repas avec son ami. Elle avait toujours été timide et réservée, et sa vie sociale était très limitée.

Avant le traitement, Pat accepta d'atteindre les deux objectifs suivants: prendre un repas avec trois compagnes et assister à un dîner chez les parents de son ami. Au début du traitement, Pat déjeûna avec son thérapeute; elle se sentit très anxieuse au début du repas, mais l'anxiété disparut presque complètement après une heure. Au cours de la séance suivante, elle prit à nouveau un repas avec le thérapeute; elle se sentit à l'aise, mais refusa par la suite de dîner avec son ami. Pour des raisons d'ordre pratique, son ami ne put participer au traitement; devant cette difficulté, le thérapeute demanda à Pat de s'imaginer cette situation et de tenter de la vivre en imagination. Elle décrivit avec beaucoup de détails les émotions qu'elle éprouverait si elle avait à prendre un repas avec son ami. Le thérapeute l'incita à parler, ce qui diminua sa tension.

Par la suite, la technique du jeu de rôles l'aida à vaincre sa timidité et lui permit de s'affirmer davantage. Au cours d'une série de petites pièces, le thérapeute joua le rôle d'un commis et Pat celui d'une cliente qui retournait des marchandises défectueuses. Chaque séquence fut enregistrée sur ruban magnétoscopique de sorte que la malade put se revoir agir à la télévision. Le thérapeute lui enseigna ce qu'il fallait dire et la même scène fut répétée à quelques reprises. Puis les rôles alternèrent; le thérapeute joua le rôle du client et Pat celui de la vendeuse. Ce changement de rôles a pour but de donner une idée de ce que l'on peut ressentir lorsqu'on se met dans la peau d'une autre personne. D'autres situations furent également jouées; par exemple, demander son chemin à un étranger ou refuser une demande à un collègue. Encore là, le thérapeute montrait d'abord à Pat comment réagir et celle-ci devait l'imiter par la suite. Elle répondit bien à cet apprentissage par imitation, et réussit même à prendre un repas en présence d'un étranger.

A ce stade de la thérapie, elle rejoignit un groupe de cinq autres malades souffrant de peurs similaires. Les six malades prirent part à une séance de traitement qui dura neuf heures. A leur arrivée, le matin, après les avoir mis au courant du programme de la journée, le thérapeute les fit participer à divers jeux de société pour encourager la cohésion du groupe. Dans un de ces jeux, une personne devait sortir d'un cercle fait par les autres; dans un autre, les gens devaient faire passer de l'un à l'autre une orange retenue sous le cou, sans utiliser les mains. Ces exercices permirent d'arriver à jouer des rôles dans des situations sociales de plus en plus difficiles. A la fin de la journée, le groupe fut divisé en petits sous-groupes et chaque sous-groupe se rendit à un magasin différent pour acheter des aliments pour le repas du soir au domicile du thérapeute; au cours de cette activité, les malades eurent fréquemment l'occasion de se parler. Au cours du souper, et après une certaine gêne initiale, les malades s'amusèrent beaucoup et firent des plans pour se rencontrer à nouveau après la fin du traitement.

Pat nota une nette amélioration à la fin de cette journée de traitement en groupe. Après dix-huit séances individuelles, la malade avait atteint ses buts et elle reçut son congé. A la postcure de six mois, Pat pouvait manger avec son fiancé et sa famille; elle avait également fréquenté de grands restaurants et participé à des repas chez des amis. Elle n'aimait toujours pas beaucoup rencontrer des étrangers, mais pouvait au besoin faire face à cette situation sans l'éviter.

La séance de groupe servit à entraîner les malades à augmenter leurs aptitudes sociales. Par cette technique, le thérapeute enseigne aux gens à mieux s'entendre avec les autres. Ainsi, certains individus apprennent à vaincre leurs inhibitions sociales en exécutant des tâches de plus en plus difficiles; d'autres, particulièrement agressifs, en viennent à exprimer leurs sentiments de façon plus acceptable. Le traitement de ces problèmes sociaux se fait sur une base individuelle ou en groupe. Dans un groupe d'entraînement aux aptitudes sociales, le thérapeute peut donner les instructions suivantes: « Il est nécessaire d'accomplir certains exercices pour désapprendre les émotions et les sentiments déplaisants que vous ressentez lorsque vous êtes en compagnie d'autres personnes. Ces exercices demanderont beaucoup d'engagement et de coopération de votre part; vous apprendrez à maîtriser le comportement social, à devenir moins conscient de votre personne et à vous sentir plus accepté par votre environnement. Dans votre programme, les exercices d'entraînement deviendront de plus en plus difficiles à mesure que vous réussirez dans des situations plus faciles. »

Un groupe de malades présentant des troubles sociaux similaires pourront jouer entre eux différentes situations qui créent de l'anxiété; par exemple, demander l'heure à un passant, son chemin à un étranger ou un itinéraire compliqué pour se rendre dans une autre ville. Les malades doivent d'abord pratiquer ces rôles dans le groupe et jouer par après les mêmes scènes dans la réalité quotidienne. D'autres exercices consistent à demander à un commis un objet impossible à décrire précisément, à représenter un client chez un marchand de chaussures et à refuser avec fermeté plusieurs paires de souliers; à prendre un dîner au restaurant et à demander à la serveuse une explication détaillée de la note, ou encore, à se présenter à des étrangers dans une soirée et à entreprendre une conversation avec eux.

Bien que la technique d'entraînement aux aptitudes sociales ne soit apparue que récemment sur la scène thérapeutique, les résultats obtenus semblent prometteurs pour aider les gens timides ou gauches dans leurs relations avec les autres.

Les phobies des maladies

La peur des maladies passe par la tête de chacun de nous à un moment ou à un autre. Qui n'a jamais observé une lésion cutanée à la main, sans se demander au moins une fois si ce n'était pas une forme de cancer ou une autre maladie mortelle? L'hypochondrie se retrouve chez tous les étudiants en médecine et en art dentaire qui croient être atteints des maladies qu'ils étudient et qui expérimentent à répétition ce type de peurs au cours de leurs études. Ces peurs demeurent cependant de courte durée, ne handicapent pas le sujet et ne requièrent aucun traitement.

La peur des maladies peut devenir tellement insistante que certaines personnes doivent prendre avis de leur médecin. Nous parlons d'hypochondrie lorsque la peur comprend de nombreux symptômes différents ou porte sur une variété de maladies. Lorsqu'elle est orientée vers un seul symptôme ou une seule maladie et qu'il y a absence d'autres problèmes psychiatriques, nous parlons alors d'une phobie des maladies. Les caractéristiques de l'hypochondrie étaient déjà bien décrites au 17e siècle. « Certains ont peur de contracter une maladie effrayante après l'avoir remarquée chez d'autres, en avoir entendu parler ou avoir lu sur le sujet; ils évitent tout ce qui concerne de près ou de loin cette maladie par crainte de se donner de nouveaux symptômes et d'aggraver ainsi leur état. »

Ce type de phobies est souvent relié aux maladies à la mode dans un certain environnement culturel ou dans la famille. Au début du siècle, à la suite d'une campagne d'éducation du public, plusieurs Américains développèrent une phobie de la tuberculose. Depuis la disparition presque complète de cette maladie, la peur du cancer et des maladies cardiaques a pris la vedette.

Les enfants issus de familles très conscientes des problèmes de santé tendent également à développer davantage des peurs des maladies.

Au point de vue clinique, d'une part, une personne ayant déjà souffert d'une lésion à un organe quelconque peut devenir trop consciente de cette partie de son organisme; ainsi, un malade atteint d'une maladie cardiaque d'origine rhumatismale peut se préoccuper de façon exagérée de son cœur. D'autre part, certains sujets s'identifient à des parents, des frères ou des sœurs porteurs d'une maladie particulière; une jeune femme dont plusieurs parents souffraient d'épilepsie développa de cette façon une phobie des convulsions et devint effrayée à l'idée de sortir seule. Enfin, la peur de certaines maladies reflète souvent des problèmes de nature psychologique; par exemple, la phobie de la syphilis peut survenir chez une personne qui se sent coupable de ses aventures sexuelles.

Une éducation familiale exagérée face aux problèmes de santé de même que la publicité abusive peuvent donc intensifier ces peurs. A l'occasion, la phobie peut résulter d'une mauvaise communication entre le médecin et le malade; ce dernier peut interpréter le silence d'un médecin taciturne comme un signe qu'il lui cache une information terrifiante.

Les gens atteints de phobies des maladies sont la plupart du temps en parfaite santé. Leur peur demeure cependant constante et les distrait de leurs activités quotidiennes souvent bien plus que s'ils souffraient réellement de la maladie. « La peur est plus douloureuse que la douleur elle-même », disait un malade qui recherchait constamment tout signe de maladie. Aucune lésion cutanée, aucune sensation n'est insignifiante pour les sens aiguisés de ces phobiques. Le malade interprète de travers ses sensations physiologiques normales et son anxiété peut produire des symptômes nouveaux, comme des douleurs abdominales lors des contractions intestinales, qui renforcent ses prédictions lugubres. « Dans une grande foule, lorsque je fais des emplettes dans l'ouest, je deviens étourdie et je m'imagine que je vais perdre connaissance et mourir. Je cours alors dans une ruelle ou vers un endroit calme. Quand la situation devient intenable, je demande aux gens de m'aider. »

Ces malades téléphonent des centaines de fois à leur médecin et visitent différents spécialistes pour tenter vainement de chercher une quelconque tranquillité d'esprit. Rassurés sur leur état de santé, leurs soucis ne diminuent que temporairement. Une femme de trente-trois ans avait visité depuis les trois dernières années, les départements d'urgence de 43 hôpitaux et avait subi de nombreuses radiographies de chacune des parties de son corps. Selon le moment, elle avait peur de mourir d'un cancer de l'estomac, d'une thrombose ou d'une tumeur cérébrale. Les examens n'avaient jamais révélé d'anormalités et elle sortait chaque fois de l'hôpital « rajeunie... c'est comme avoir été condamnée à mort et recevoir un sursis. » Moins d'une semaine après, elle recommençait à nouveau le même jeu et se rendait à un autre hôpital « où ils ne peuvent découvrir mon imposture. Je suis terrifiée par l'idée de mourir car c'est la fin complète; la pensée de pourrir dans la terre m'obsède, je peux voir les vers. » Paralysée de terreur, elle se levait parfois à deux heures du matin et se ren-

dait près de l'hôpital par crainte d'une rupture d'un vaisseau san-
guin à la suite d'une relation sexuelle avec son mari.

Un homme de cinquante-trois ans avait le même problème
depuis vingt-huit ans. En plus d'avoir visité des cabinets de médecins des centaines de fois pour qu'on le rassure sur son état de
santé, il avait consulté des inspecteurs d'usine et des dirigeants
de la régie des eaux à plusieurs reprises afin de connaître la pureté
de diverses substances avec lesquelles il entrait en contact. Il avait
passé près de la moitié de sa vie en chômage à cause de sa phobie.
Son épouse devait contacter des médecins et des autorités com-
pétentes pour le tranquilliser. Après sa centième radiographie,
il développa une nouvelle phobie: il crut que les rayons-X lui
donneraient la leucémie. Sa peur des maladies et ses besoins répétés de tranquillité d'esprit étaient associés à des rituels compulsifs souvent présents chez ces malades. (Nous discuterons des
obsessions et des compulsions un peu plus loin.)

Une maladie physique peut occasionnellement déclencher
la phobie ou sensibiliser l'individu à développer des symptômes
plus tard; par contre, il n'existe habituellement aucune histoire
antérieure pouvant expliquer le problème du malade. Au contraire, certaines personnes ont été guéries de leur phobie quand elles
ont effectivement attrapé la maladie qu'elles craignaient. Citons
le cas d'un homme qui fut admis dans un hôpital psychiatrique
à cause de sa terrible peur des maladies vénériennes. A sa sortie
de la clinique, il contracta la syphilis avec lésions ulcéreuses du
pénis. A partir de ce moment, ses peurs disparurent et il se présenta de bonne humeur pour recevoir un traitement par antibiotiques.

Comme nous venons de le voir, les phobies des maladies
diffèrent des autres phobies en ce sens que ce sont des peurs intérieures dont le malade ne peut se sauver. Il ne peut donc ni les
éviter, ni les fuir, contrairement aux gens qui ont peur des chiens,
des avions, etc... Cependant, pour le malade, renoncer à certaines
situations peut exacerber la phobie; rappelons l'histoire de cette
femme qui avait peur de devenir épileptique et qui ne sortait pas
seule par crainte d'une attaque. Cet homme qui avait peur de la
leucémie n'avait jamais accepté l'absence de son épouse parce
qu'elle était son constant reconfort.

Les besoins répétés d'assurance ressemblent à une véritable toxicomanie. Celle-ci diminue l'anxiété de façon transitoire,
mais la tension augmente à nouveau et le malade recherche de
nouvelles consolations après quelques semaines, quelques jours

ou quelques minutes; de cette façon, l'intervalle entre les périodes calmes diminue progressivement. Ce phénomène se retrouve chez certains toxicomanes qui présentent des syndromes de sevrage lorsqu'ils n'ont pas immédiatement leur drogue, mais qui se sentent très bien pendant un certain temps à la suite d'une injection. La fréquence d'ingestion et la dose de la drogue augmentent à mesure que la toxicomanie s'aggrave.

Traitement des phobies des maladies et des problèmes reliés à des défauts physiques

Le traitement de ces troubles psychologiques suit les mêmes lignes que celui des autres phobies, sauf que le malade doit s'habituer à un stimulus interne, c'est-à-dire dans son esprit, plutôt qu'à un stimulus externe retrouvé dans l'environnement. Une personne atteinte d'une phobie des maladies doit se familiariser avec l'idée qu'elle pourrait avoir un cancer, une maladie de cœur ou toute autre maladie. Cet apprentissage se fait de plusieurs façons. Un thérapeute pourra dire à un malade qui a peur d'avoir une tumeur cérébrale: « Imaginez-vous que votre médecin vient de vous dire que vous avez une tumeur au cerveau et que vous n'avez que six mois à vivre; vous commencez à arranger vos affaires et à assurer les besoins de votre famille. Votre médecin vous montre une radiographie de votre crâne et vous indique la tumeur. Au début, vous ne comprenez pas très bien, mais après avoir quitté son bureau, vous réalisez soudainement ce qu'il vous a dit... » Le thérapeute demandera au malade d'imaginer de telles scènes pendant une heure ou plus jusqu'à ce qu'elles n'évoquent plus d'anxiété, mais plutôt de l'ennui. Un phobique du cancer pourra recevoir un spécimen de tissu cancéreux dans une bouteille fermée à vide; il le gardera avec lui et l'examinera chaque jour jusqu'à ce qu'il se sente libéré de sa crainte. La même personne pourra afficher des articles sur le cancer et des images de tumeurs sur les murs de sa chambre et de sa cuisine pour s'habituer à l'idée et cesser d'éviter de penser au cancer.

Les parents des malades qui demandent sans arrêt qu'on les rassure peuvent aider au traitement. A celui qui demande constamment à sa femme: « Suis-je pâle, ai-je l'air malade? », l'épouse ne devra pas répondre: « Non, tu me sembles bien », mais plutôt « On m'a dit de ne pas répondre à de telles questions. » Le médecin peut pratiquer avec le couple une telle scène à plusieurs reprises jusqu'à ce que chacun sache exactement quoi faire. Cette procédure simple s'avère parfois difficile à apprendre; un couple peut pratiquer la même scène plus de dix fois avec le thérapeute avant de connaître parfaitement l'attitude à prendre.

Tout réconfort doit être refusé pour que le malade apprenne à tolérer le malaise et l'incertitude face à une maladie. Nous nous inquiétons tous parfois de l'apparition d'une lésion cutanée, mais nous sommes capables de rejeter de notre esprit des idées exagérées. Le malade doit développer la même facilité, mais il en est incapable tant qu'on entretient son inquiétude. En début de traitement, lorsque les demandes de réconfort sont refusées, la phobie peut augmenter pendant quelques heures ou quelques jours; par contre, les symptômes diminueront graduellement si le conjoint joue bien son rôle et n'encourage pas le malade à continuer son comportement. Ces couples doivent enfin visiter régulièrement le thérapeute parce que notre instinct ne nous incite pas à être cruel envers ceux que l'on aime, même si à long terme, il en va de leur plus grand bien.

Les problèmes reliés à des défauts physiques peuvent nous amener à éviter certains endroits qui provoquent des peurs. Le traitement suit les mêmes lignes que pour l'agoraphobie et les peurs sociales: encore ici, il faut persuader le phobique de demeurer en contact avec l'objet ou la situation qu'il craint et qu'il évite, et ce, jusqu'à ce qu'il se sente confortable. Voyons le cas de madame Jones, une femme de trente-cinq ans qui croyait sentir mauvais depuis seize ans. Son symptôme apparut peu avant son mariage; partageant une chambre avec une amie, celle-ci lui avait dit qu'une compagne de travail sentait mauvais et madame Jones avait cru que cette remarque lui était destinée. Depuis les cinq dernières années, elle s'empêchait de sortir sauf si elle était accompagnée de son mari ou de sa mère par crainte de rencontrer des gens qui pourraient commenter sa prétendue mauvaise odeur; elle évitait les cinémas, les salles de danse, les magasins, les restaurants et les maisons privées. Elle visitait ses parents à l'occasion, mais elle s'assoyait toujours assez loin d'eux; elle défendait à son époux d'inviter des amis à la maison et évitait elle-même de les visiter. Elle demandait toujours à son mari qu'il la rassure sur son odeur, mais ses réponses ne la satisfaisaient jamais. Elle devenait très anxieuse si elle voyait des annonces de désodorisant à la télévision. Elle évitait de rencontrer des gens dans la rue; attendre l'autobus en compagnie d'autres personnes provoquait une sudation profuse qui l'incitait à retourner chez elle. Elle refusait d'aller à l'église parce que celle-ci était petite et que les gens qui s'y rendaient demeuraient tous dans le voisinage. La famille devait voyager huit milles pour se rendre à une autre église où le couple était inconnu, mais même là elle devait s'asseoir loin des autres. Son mari lui achetait tous ses vêtements parce qu'elle craignait de les essayer en présence des commis. Elle n'avait pas adressé la parole au voisin depuis trois ans parce qu'elle croyait l'avoir entendu parler d'elle à ses amis. Elle verrouillait constamment la porte de sa maison et ne répondait jamais aux gens. A son réveil, elle se lavait complètement de la tête aux pieds et utilisait une quantité énorme de désodorisant; elle se lavait à nouveau et changeait de vêtements avant chaque sortie, et ce, jusqu'à quatre fois par jour.

A l'évaluation, madame Jones était timide, rougissait souvent et ne regardait personne en face. Le traitement consista à l'aider à retourner à plusieurs reprises, et pendant de longues périodes de temps, à des endroits où elle croyait sentir mauvais jusqu'à ce que sa peur disparaisse. La malade se donna deux buts à atteindre à la fin du traitement: marcher seule dans la cour de trois de ses voisins et s'asseoir dans le salon avec des amis et parler des odeurs. Avant la première séance à la clinique externe, le thérapeute lui demanda d'accomplir deux tâches: reconduire son garçon à l'autobus chaque matin, et se rendre dans les magasins avec sa mère tous les deux jours. On avertit le mari de la féliciter lors des réussites et de ne pas la rassurer lorsqu'elle parlait de ses odeurs. Au début de la première séance, madame Jones avait accompli ses tâches avec succès. Son mari confirma ses dires et rapporta qu'elle lui avait fréquemment demandé de la rassurer et qu'il avait trouvé très difficile de refuser. Après cet entretien, la malade et l'infirmière-thérapeute prirent l'autobus pour se rendre à un centre commercial. Pendant deux heures, madame Jones visita trois magasins et y demeura jusqu'à disparition presque complète de son anxiété. Elle dut aller dans des endroits achalandés et attendre dans de longues files de personnes. Elle fit d'abord ses exercices avec l'infirmière qui s'éloigna graduellement par la suite. Pendant ces deux heures, son malaise diminua beaucoup bien qu'elle suait profusément, rougissait et demandait souvent si elle sentait mauvais. Il fallut beaucoup de persuasion pour la garder dans les foules, mais le retour à l'hôpital en autobus lui causa peu d'anxiété; elle ne demandait pas non plus qu'on la rassure.

Le thérapeute lui donna alors trois nouvelles tâches à accomplir avant la prochaine séance: se rendre seule dans des magasins du voisinage, faire une promenade quotidienne d'une heure avec son fils et aller au cinéma avec son mari. De plus, elle devait venir à la prochaine séance sans avoir utilisé un désodorisant et sans s'être lavée; cette condition s'appliquait également à toutes les séances subséquentes. A la seconde séance, une semaine plus tard, la malade avait complété toutes ses tâches et était satisfaite de ses progrès. De nouveau accompagnée de l'infirmière, elle se rendit cette fois dans les grands magasins du centre de Londres. Le malaise ressenti par madame Jones dans cette situation diminua lentement et elle en arriva à n'être presque plus anxieuse lorsqu'elle voyageait en train ou en autobus.

Les trois séances subséquentes eurent lieu à deux semaines d'intervalle; la malade se rendit à nouveau dans des endroits achalandés du centre de Londres et l'infirmière se retira de plus en plus pour la laisser seule. A la cinquième séance, madame Jones voyageait seule en autobus, demeurait dans les magasins pendant une heure et demie sans grande anxiété, mangeait dans les grands restaurants et n'avait plus de difficulté à faire la queue. Finalement, elle fit deux heures de train pour venir à Londres. A la maison, elle allait plus souvent seule dans les magasins, saluait les voisins et visitait des amis, mais elle se tracassait encore quand elle faisait des courses dans sa localité et lorsqu'elle voyageait en autobus. Son mari rapporta qu'elle exigeait beaucoup moins d'être rassurée, qu'elle se lavait moins souvent et qu'elle utilisait moins de désodorisant. Elle prit un bain avant de venir à l'hôpital et dîna au restaurant avant de retourner chez elle.

A la sixième séance, madame Jones accompagna son mari pour faire ses emplettes à Londres. Pour la première fois depuis quatre ans, elle essaya des vêtements dans deux magasins et elle visita plusieurs boutiques; elle avait cependant encore de la difficulté à laisser son mari. La thérapeute lui demanda de faire ses courses plutôt dans sa région, d'abord accompagnée, puis seule.

A partir de ce moment, l'infirmière ne participa plus aux séances de traitement, mais elle continua à enregistrer les progrès par des appels téléphoniques hebdomadaires. Madame Jones commençait à visiter des amis après une longue séance dans les magasins, changeait de vêtements seulement lorsqu'elle sortait le soir et se sentait généralement beaucoup plus calme. L'amélioration continua durant la première année de postcure. Elle se rendait régulièrement à l'église, visitait les voisins et assistait à des rencontres sociales à l'école de son fils. La famille entière prit ses premières vacances depuis des années. Des amis vinrent demeurer chez elle pendant leurs vacances et elle voyagea facilement malgré un certain malaise. A la dernière entrevue, madame Jones regardait le thérapeute dans les yeux, souriait fréquemment, parlait facilement de ses difficultés passées et s'affirmait beaucoup plus.

Les phobies des animaux

La plupart des enfants de deux à quatre ans traversent une phase pendant laquelle ils sont un peu effrayés par les animaux. Cette peur commence d'habitude sans que le bambin n'ait vécu d'expériences désagréables avec les animaux ni vu des gens blessés par un chat ou un chien; c'est comme si les enfants devaient par nature traverser ce stade. Ces peurs disparaissent rapidement ce qui fait qu'à la puberté très peu d'enfants ont peur des animaux; une infime minorité, des femmes pour la plupart, conservent cependant leur phobie jusqu'à l'âge adulte. Les adultes qui se plaignent d'une phobie des animaux en font bien souvent remonter le début à leur enfance, avant l'âge de six ans, ou « aussi loin que je peux me rappeler ». Rares sont ceux qui se souviennent d'une brève période où ils n'eurent aucune crainte des bêtes avant de développer leur phobie à l'âge de trois ou quatre ans. Bien sûr, dans notre milieu, plusieurs personnes craignent les araignées, les souris, les chiens et d'autres animaux, mais de telles peurs sont rarement assez fortes pour devenir une phobie et nécessiter un traitement. Les psychiatres voient beaucoup moins de gens souffrant d'une phobie des animaux que d'agoraphobes, par exemple, ou des malades qui présentent des problèmes d'anxiété sociale; ceci reflète probablement une plus petite incidence de ce type de phobie dans la population adulte. Quoi qu'il en soit, elle demeure plus localisée, moins fluctuante et moins associée à d'autres troubles psychologiques que l'agoraphobie.

Ceux qui demandent de l'aide présentent habituellement une continuation des peurs de l'enfance et consultent surtout lorsque des changements importants dans leur vie les obligent à faire face à leur problème. Une citadine peut éviter la plupart des animaux et des insectes, mais présenter de sérieux problèmes si elle déménage dans une ville plus petite où il y a beaucoup d'animaux. Une femme se tirait bien d'affaire lorsqu'elle demeurait dans un gratte-ciel, mais devint très anxieuse et requit un traitement à la suite de son déménagement dans un village infesté d'araignées. Elle se sentit mieux à nouveau lorsqu'elle s'installa dans une maison où il n'y avait pas d'araignées. Une autre nous consulta à la suite de son refus de prendre un cours d'art dans un vieil hôtel bourré d'araignées, ce qui compromettait sa carrière. Enfin, une jeune femme déménagea dans une ville envahie de pigeons; elle décida de se faire traiter parce qu'elle était incapable de se rendre à son travail.

Certaines personnes demandent de l'aide après avoir entendu parler pour la première fois d'une possibilité de traitement. D'autres consultent par crainte de transmettre leur phobie à leurs jeunes enfants. Certains voient d'abord un médecin pour d'autres problèmes, tels des symptômes dépressifs; au cours de l'évaluation, le clinicien découvre une phobie des animaux et suggère une thérapie. Notons en passant qu'une incapacité mineure et facilement tolérable auparavant prend souvent des proportions exagérées au cours d'une dépression. Finalement, d'autres prennent rendez-vous pour une simple phobie en espérant que le médecin détectera d'autres problèmes particulièrement difficiles à exprimer. C'est le cas des gens esseulés qui consultent souvent pour des problèmes mineurs; le contact social avec l'hôpital peut leur apporter beaucoup de satisfaction et soulager un symptôme isolé. D'ailleurs, en se basant sur le même degré d'incapacité, ce sont les gens qui vivent seuls qui recherchent davantage d'aide médicale.

Bien que l'origine de la phobie des animaux se perde habituellement dans les souvenirs d'enfance, certains malades se rappellent d'incidents spécifiques. Une phobie des chats commença lorsqu'une petite fille vit son père noyer des chatons. La phobie des chiens survient parfois à la suite d'une morsure d'un chiot. Une phobie des oiseaux se développa lorsqu'un enfant posa pour une photographie à Trafalgar Square à Londres où il y a des milliers de pigeons. Elle prit peur quand un oiseau se posa sur son épaule au moment où elle ne pouvait pas bouger à cause de la photographie; elle avait d'ailleurs apporté cette photographie avec elle lors de l'évaluation. Une phobie de plumes débuta chez un enfant alors qu'il était attaché dans un carrosse; il prit peur lorsqu'une étrangère affublée d'un chapeau à plumes se pencha sur lui.

Freud a décrit le début de ces peurs chez les enfants. « L'enfant commence subitement à craindre une certaine espèce animale et se protège contre le fait de voir ou de toucher à ce type d'animal... La phobie s'exprime généralement envers des animaux pour lesquels l'enfant avait montré jusque-là le plus grand intérêt et elle n'a rien à voir avec un animal particulier. Dans les villes, le choix des animaux qui peuvent devenir l'objet de la phobie n'est pas grand: les chevaux, les chiens, les chats, plus rarement les oiseaux, et, de façon étonnante, souvent les insectes et les papillons. Parfois, des animaux que l'enfant connaît seulement par les livres d'images ou les contes deviennent les objets de l'anxiété manifestée dans ces phobies. Il est rarement possible de savoir de quelle façon cette anxiété s'est développée. »

Chez la plupart des enfants, ces phobies disparaissent, soit sans raison, soit parce qu'ils ont été exposés à l'objet de leur peur et ont appris à entrer à nouveau en contact avec l'espèce animale en question. Les mêmes peurs peuvent devenir des phobies lorsque d'autres enfants effraient le sujet. Nous ne savons pas pourquoi certaines personnes continuent de ressentir ces peurs après la puberté. Lorsqu'un malade consulte, il se plaint habituellement d'une phobie de longue date d'un animal ou d'un insecte et ne présente pas d'autres problèmes.

De façon pratique, tout animal ou insecte peut être en cause. Les peurs concernent souvent les oiseaux ou les plumes; les pigeons semblent particulièrement populaires alors que les oiseaux plus petits et les canaris sont tolérés plus facilement. « Je serais tout simplement terrifiée. Je pose mes mains sur ma tête et j'ai peur qu'il m'arrive en pleine figure; c'est le battement de leurs ailes. » La phobie des araignées, des abeilles et des taons est assez fréquente. « Les araignées me terrifient; c'est de la façon dont elles se meuvent. Elles sont noires, touffues et mauvaises. » Certaines personnes consultent pour la peur des chiens, des chats, des vers, des grenouilles ou des insectes volants. Parfois, la phobie est un ennui plutôt qu'un problème majeur, comme chez cette femme qui demeurait à la campagne et qui ne pouvait se rendre près des étangs remplis de grenouilles ni regarder des images de grenouilles dans des livres. Dans les cas graves, la détresse peut handicaper fortement le sujet. A Londres, une phobique des oiseaux ne pouvait se rendre à pied à son travail à cause des nombreux pigeons; elle quitta son emploi et demeura chez elle toute la journée, s'aventurant à sortir uniquement le soir lorsqu'il n'y avait aucun pigeon.

En Angleterre, les gens qui souffrent de la phobie des araignées redoutent l'arrivée de l'été et de l'automne, à cause de la prolifération de ces bestioles à cette époque, et bénissent l'hiver qui les fait disparaître.

Malgré la croyance qui veut que ces peurs soient apprises par imitation du comportement des parents, il est surprenant de retrouver rarement les mêmes peurs chez d'autres membres de la famille du malade. On les retrouve par contre dans quelques cas et elles peuvent même passer d'une génération à une autre.

Bien qu'une phobie localisée paraisse insignifiante, une grande détresse survient quand la personne s'approche de l'objet de son anxiété. Même en cours de traitement, les malades sont pris de panique, suent et tremblent s'ils sont amenés trop près de l'animal. Une phobique des araignées se mit à crier lorsqu'elle en trouva une à la maison, trembla de peur, courut chez un voisin et lui demanda de rester avec elle pendant deux heures. Une autre se retrouva sur le dessus du réfrigérateur sans se souvenir comment elle était rendue là; la peur inspirée par la vue d'une araignée lui faisait momentanément perdre la mémoire. Une femme s'était jetée en dehors d'une chaloupe alors qu'elle ne savait pas nager, pour éviter une araignée trouvée au fond de l'embarcation. Elle avait déjà sauté à bas d'une automobile en marche et, une autre fois, d'un cheval pour fuir des araignées. « J'ai peur d'aller dans les parcs et même dans mon jardin » disait une femme de quarante-deux ans, phobique des pigeons. « J'ai manqué plusieurs rendez-vous parce que je me sauve s'il y a des oiseaux près de l'arrêt d'autobus. Faire des emplettes me torture, car je dois traverser et retraverser de nouveau la rue pour éviter les oiseaux. Je fais des cauchemars à ce sujet. » Les fenêtres d'une autre patiente étaient fermées à perpétuité par crainte qu'un oiseau entre dans la maison. « Leur vue me réduit en compote. Si jamais un oiseau se dirigeait vers moi, je ferais une crise cardiaque tellement je serais terrifiée. » Elle revenait tardivement de son travail et prenait énormément de temps, faisant des détours pour éviter les oiseaux près de la station de métro de Waterloo.

Des cauchemars tourmentent souvent les malades qui se voient entourés de grosses araignées ou d'immenses oiseaux et incapables de fuir. Ces cauchemars disparaissent après le traitement. Les phobiques recherchent toujours l'objet de leur peur dans l'entourage; le moindre signe de sa présence les dérange alors qu'il laisse froid toute personne normale. La diminution de cette perception exagérée devient un signe d'amélioration au cours de la cure. Une phobique des chiens avait ainsi construit une carte géographique qui indiquait où se trouvaient tous les chiens de son entourage; cette carte lui permettait de connaître assez bien les rues à éviter.

Traitement d'une phobie des pigeons

Les phobies des animaux sont habituellement faciles à traiter; elles ne demandent généralement que quelques heures de contact avec l'animal en cause pour que la peur disparaisse. Un ou deux après-midi de traitement peuvent être nécessaires dans les cas les plus difficiles. Enfin, il faut plusieurs séances lorsqu'il est impossible de garder l'animal pendant une longue période de temps.

Jane, une universitaire de vingt ans, avait peur des pigeons depuis au moins sept ans. Elle se plaignait de cauchemars où des pigeons l'attaquaient et, le soir, elle verrouillait portes et fenêtres au cas où un pigeon entrerait dans sa chambre; elle était d'ailleurs incapable de s'asseoir dans sa chambre lorsque la fenêtre était ouverte. Elle faisait souvent des détours pour éviter de rencontrer des pigeons et détestait en voir à la télévision ou en photos. Sa peur commençait donc à l'affecter grandement.

Durant le traitement, le thérapeute encouragea Jane à s'habituer aux pigeons en se familiarisant de plus en plus avec eux, malgré sa terreur. Avant le début du traitement, le médecin lui demanda de suspendre des images d'oiseaux dans sa chambre et d'acheter des animaux empaillés. Au cours de la première séance, elle s'approcha et caressa un pigeon qui était tenu par le thérapeute; elle réussit par la suite à demeurer seule dans sa chambre avec un pigeon en cage à quelques pieds d'elle. A la séance suivante, elle put s'asseoir dans un parc avec le thérapeute qui, à trois pieds de distance, nourrissait des pigeons; elle demeura également assise à une terrasse pendant un certain temps alors que des pigeons se promenaient près d'elle. A la troisième séance, elle traversa le parc accompagnée du thérapeute, regarda les pigeons et s'assit à trois pieds d'eux en leur lançant des graines. Entre les séances, elle apprit à passer près des oiseaux dans la rue et à les regarder sans frémir. Elle commença à collectionner des images et des modèles d'oiseaux et à les manipuler sans peur. Durant la journée, elle pouvait garder ouverte la fenêtre de sa chambre lorsqu'elle s'absentait. Lors des séances subséquentes, elle s'habitua à tolérer les pigeons qui se dirigeaient vers elle. Devant cette amélioration marquée, elle reçut son congé après neuf séances; un an plus tard, elle rapporta se sentir très bien et ne plus avoir peur des pigeons. Elle dormait la fenêtre ouverte et se rendait fréquemment dans les parcs de même qu'à Trafalgar Square où pullulent les pigeons.

Un événement inattendu compliqua le début du traitement.

Au cours des premières séances dans le parc, Jane se mettait à crier à tue-tête dès qu'un pigeon l'approchait. Les badauds en furent à un tel point troublés qu'ils avertirent le gardien du parc; celui-ci menaça de battre le thérapeute s'il ne cessait pas d'effrayer la jeune femme. Pour éviter cette complication, les autres séances thérapeutiques eurent lieu à sept heures du matin.

Autres phobies spécifiques

Presque toute situation ou tout objet peut déclencher une phobie chez certaines personnes; la liste est pratiquement sans fin. Dans cette énumération, les phobies des phénomènes naturels sont assez fréquentes. Une légère peur des hauteurs se retrouve chez plusieurs personnes, mais des phobies paralysantes de ce type demeurent plutôt rares et sont souvent reliées aux détails de l'environnement. Ainsi, des malades atteints d'une phobie sévère des hauteurs peuvent être incapables de descendre un escalier si le garde-fou est ouvert, mais peuvent le faire s'il est fermé. Ils sont effrayés s'ils regardent par une fenêtre qui va du plancher au plafond, mais ne ressentent aucune anxiété si la fenêtre commence vers la moitié du mur. Ils ont de la difficulté à traverser des ponts à pied, mais ils peuvent le faire en automobile. L'anxiété survient parfois en regardant des édifices à plusieurs étages. « En regardant de grands édifices, je me sens comme s'ils tombaient sur moi, je suis étourdie, j'appréhende la panique, j'ai le sentiment de vouloir sauter ou de voir le sol remonter vers moi. » Occasionnellement, la peur des hauteurs est liée à celle de tomber s'il n'y a pas de parapet, car le phobique peut avoir l'impression d'être attiré dans le vide. Plusieurs personnes ressentent la même chose quand elles attendent sur le quai d'une gare et qu'elles craignent d'être attirées sous le train.

Cette peur de tomber peut devenir extrême. Une ménagère de quarante-neuf ans courait pour rejoindre un autobus lorsqu'elle eut un étourdissement et dut se cramponner à un lampadaire; graduellement, elle devint incapable de marcher sans s'appuyer à un mur ou à un meuble; elle était « accrochée aux meubles ». Elle arrivait à se tenir debout si elle voyait un support à moins d'un pied d'elle; sinon elle était terrifiée et pleurait. Le contact physique avec l'objet n'était pas essentiel car elle était parfaitement calme en position assise ou étendue. Ajoutons que certains troubles auditifs provoquent des sensations anormales de chute, mais cette malade n'avait aucun problème avec ses oreilles.

Les gens souffrant de cette phobie de tomber semblent avoir une perception troublée de l'espace. Une dame croyait qu'elle était pour tomber lorsqu'elle n'avait aucun support; depuis six mois, elle en était rendue à marcher sur les genoux dans la maison. Malgré cela, elle pouvait danser sans aucune gêne, mais devait être supportée si elle était seule. Elle avait de la difficulté à prendre l'autobus parce qu'elle ne pouvait s'astreindre à quitter le garde-fou; elle montait cependant sans aucun problème si elle était accompagnée. Tenir le bras de quelqu'un suffisait la plupart du temps, mais elle s'agrippait intensément à la moindre pensée d'une chute. Elle s'était fait mal en tombant à deux reprises au cours des dix-huit mois précédents. Une autre femme avait une peur similaire lorsqu'elle conduisait l'automobile sur une grande route; elle devait alors céder le volant à son mari. Elle se sentait également anxieuse lorsqu'elle voyait des pentes abruptes ou des escaliers, des ponts ou des gratte-ciel. Certaines maladies physiques peuvent aggraver la peur de tomber. Une bonne vieille dame souffrait d'une faiblesse à une jambe à la suite d'une attaque de paralysie. Elle s'améliorait rapidement et vaquait à toutes ses occupations jusqu'au jour où elle glissa sur un tapis; après cet incident, elle prit peur et ne sortait que lorsque quelqu'un lui tenait le bras. Même si sa force musculaire était complètement revenue, sa perte de confiance l'empêcha de regagner son indépendance.

La phobie de la noirceur est normale dans l'enfance; elle handicape rarement les adultes. Certaines personnes sont atteintes de la phobie du vent ou des orages plutôt que du tonnerre. D'autres sont particulièrement phobiques du tonnerre et des éclairs. Une jeune femme de vingt ans qui conduisait un autobus souffrait de cette phobie: « Je donnerais tout pour guérir parce que j'ai peur de perdre mon emploi; s'il y a un orage et que je conduis l'autobus, je crie, je me sens malade et j'ai l'estomac à l'envers. Les gens croient que je suis folle. Je ne peux m'en empêcher et, même s'il y a des gens avec moi, je suis tout autant effrayée et hystérique. » Ces personnes écoutent fréquemment les bulletins de météo et sont incapables de sortir à la moindre prévision d'un orage. Elles redoutent l'approche de l'été et attendent impatiemment l'hiver. Dans certaines villes, les services météorologiques sont littéralement assiégés par de nombreux malades qui souffrent de la phobie du tonnerre.

Bien que la plupart d'entre nous détestions le bruit intense, cette aversion devient rarement une phobie. Par contre, certaines personnes ont tellement peur du bruit des ballons qui éclatent qu'elles s'empêchent d'assister à des soirées où cette situation peut survenir. « J'ai cette terrible phobie à propos des ballons qu'on souffle. Comme j'ai quarante-deux ans, je pense que c'est tout à fait ridicule. » Une phobie du bruit plutôt inhabituelle était reliée à la peur de siffler. Cette femme n'avait pas peur des oiseaux car elle pouvait tenir un oiseau sans crainte et tolérait facilement le son d'un coucou ou d'un perroquet. Une fréquence bien définie déclenchait donc l'anxiété: la voix d'une soprano la rendait tendue et la panique s'emparait d'elle quand quelqu'un sifflait. Cette phobie nuisait grandement à son travail dans un studio de films; en effet, si quelqu'un sifflait à l'ouvrage, sa peur et son angoisse la rendaient malade pendant quelques jours.

La phobie de conduire une automobile se développe surtout après un accident alors que la peur de voyager fait habituellement partie du syndrome de l'agoraphobie. Plusieurs personnes ont quand même peur de voyager en avion ou en métro.

Enfin, plusieurs agoraphobes souffrent de claustrophobie, mais ce symptôme peut apparaître isolément. Les claustrophobes ont peur d'être enfermés dans des espaces clos, comme les tunnels ou les ascenseurs. « Si l'ascenseur s'arrêtait, je serais très rapidement gagné par la panique. Je me mettrais à frapper de toutes mes forces sur les portes. » Une de ces malheureuses victimes, un expert en couvertures, eut à compléter un travail sur le toit du Post Office Tower de Londres, un immeuble d'une hauteur de 600 pieds; deux fois par jour, il emprunta l'escalier plutôt que d'employer l'ascenseur.

La phobie de l'avion

Le transport aérien fait de plus en plus partie de la vie moderne; chaque année, nombreux sont ceux qui découvrent les plaisirs d'un voyage en avion et plusieurs hommes d'affaires se servent de ce moyen de transport pour sauver du temps. Un phobique de l'avion peut donc refuser une promotion et limiter ses vacances avec sa famille. A ce sujet, une femme écrivait à un journal: « Je fais des plans pour déménager en Californie au début de l'année; comme je souffre de claustrophobie, je ne peux m'empêcher de penser que je serai incapable de rester à bord de l'avion pendant cinq heures sans être prise de panique... De façon étonnante, je suis assez calme si je sais qu'il y a un médecin près de moi... J'ai honte de demander une réservation sur un vol où il y aura un médecin à bord, mais je suis sûre que je voyagerai beaucoup mieux dans cette condition. »

Une autre femme nous confiait: « J'ai pris l'avion sous contrainte à quelques reprises et j'ai cru chaque fois mourir des milliers de fois. » La peur d'un homme se résumait « à être enfermé, élevé et éloigné de la terre ». Les émotions ressenties ont été bien rapportées par ce passager d'outre-mer, soulagé après l'atterrissage à Londres: « Nous avons déjoué la mort une fois de plus. » Malgré l'incidence élevée de la phobie de l'avion, les possibilités de traitement demeurent encore assez rares. Il existe à New York une organisation pour aider les gens à surmonter ce problème; un court vol nolisé permet aux sujets de mettre en pratique les notions apprises au cours du traitement.

Comme vous pouvez vous l'imaginer, il n'est pas facile d'organiser un programme de traitement pour des gens qui ont une phobie de l'avion et de les familiariser graduellement avec l'objet de leur peur. Une façon de surmonter ce problème technique consiste à demander au sujet de s'imaginer qu'il achète un billet d'avion, va à l'aéroport, procède à l'embarquement et accomplit le voyage; le sujet doit ensuite le faire en pratique. Une jeune femme, elle-même agent de voyages, s'habitua à l'idée d'aller en avion en s'imaginant cette situation à répétition durant le traitement. Escortée par son thérapeute à l'aéroport de Londres, elle s'embarqua finalement pour Athènes où elle devait passer des vacances. Comme elle attendait le départ dans l'avion, le pilote annonça un délai d'une heure, à cause de difficultés mécaniques. La malade crut ses peurs confirmées; elle sortit de l'avion et revint à l'aérogare. Par chance, une hôtesse de l'air la persuada de retourner dans l'avion; le départ se fit alors sans heurts et ses peurs s'atténuèrent. Cette anecdote montre les difficultés pratiques rencontrées dans le traitement des phobies de ce type.

La phobie de l'avion peut se développer non seulement chez les passagers, mais également chez les pilotes. Particulièrement fréquente au cours de la Seconde Guerre mondiale, la phobie des équipages se manifestait surtout au cours des manœuvres faciles, mais jamais lors de manœuvres dangereuses; ainsi, un pilote participait activement à tous les combats sans aucun problème, mais il était incapable de voler au-dessus de la mer. Plusieurs refusaient de voler au-delà de 8 000 pieds, même s'ils risquaient beaucoup plus à une altitude inférieure. Certains avaient tellement peur d'être obligés de sauter en parachute qu'ils préférèrent être aux commandes d'avions sévèrement endommagés; ils furent décorés pour leur bravoure, par la suite. Un navigateur dont l'avion venait de s'écraser rencontra un petit groupe de soldats cernés par l'ennemi; sa joie de se retrouver au sol lui permit de conduire ces hommes hors de la région dangereuse. La peur de l'avion peut accentuer le danger, car elle provoque de l'incertitude et de l'inefficacité. Saisis de peur avant l'atterrissage de leur avion, quelques hommes s'écrasèrent quand celui-ci se posa; d'autres sautèrent de l'avion sans raison ou firent des erreurs sérieuses de navigation.

La phobie d'avaler

De rares personnes se plaignent d'une phobie d'avaler des aliments solides et s'en tiennent pour cette raison à une diète liquide. Ces malades croient avoir une boule dans la gorge qui les empêche d'avaler lorsqu'ils sont anxieux. Comme le disait cette femme de quarante-neuf ans: « Depuis que je suis enfant, j'ai cette phobie stupide. A chaque fois que je bois ou mange, survient un spasme des muscles de ma gorge; je fais un bruit terrible, mes yeux coulent et je suis prise de panique. » Seule ou avec d'autres, sa difficulté se manifestait continuellement, ce qui lui faisait refuser des invitations à dîner et nuisait à son travail en relations publiques. Selon elle, l'origine de son problème remontait au fait que sa mère faisait beaucoup de bruit en mangeant. « J'étais une enfant calme à la naissance mais on m'a inculqué cette nervosité. »

Une variante de cette phobie s'appelle l'hypersensibilité du réflexe de déglutition. Ce réflexe survient habituellement lorsque nous nous mettons le doigt dans la gorge et beaucoup plus rarement lors d'une légère pression sur le cou. Un jeune homme dans la vingtaine avait ce problème depuis l'âge de six ans. Il lui était impossible de porter des chandails à col roulé ou une cravate. A son travail, il avait parfois des nausées en dictant des lettres au téléphone. Au moindre haut-le-cœur, il ne pouvait ni ouvrir la bouche ni parler. Sucer des bonbons l'aidait, mais il en avait tellement mangé qu'il avait besoin de soins dentaires. Incapable d'ouvrir la bouche chez le dentiste, il dut subir des traitements sous anesthésie. Il ne pouvait pas dire « ah » au cours d'un examen médical et présentait le même réflexe quand il recevait une injection dans le bras, commandait un repas ou achetait des billets au cinéma. Enfin, il rêvait souvent qu'il étouffait et il n'endurait aucune couverture sur lui. Lorsque j'ai interviewé cet homme, il semblait détendu, mais il prit un bonbon avant de parler. Il refusa de sortir la langue et d'ouvrir la bouche toute grande. Il cessa de parler quand je lui demandai d'essayer de fermer le col de sa chemise sport. Ses yeux larmoyèrent et il eut des haut-le-cœur lorsque je posai ma main sur son cou; le symptôme apparut à nouveau lorsqu'il refit lui-même le même geste.

Les marottes concernant les aliments sont fréquentes, mais elles deviennent rarement des phobies. Certaines personnes affichent un dégoût marqué pour des aliments particuliers, comme la viande. Les tabous religieux offrent certaines similarités avec la phobie des aliments; plusieurs hindous sont végétariens, les musulmans et les juifs ne mangent pas de porc. A la suite d'ingestion d'aliments défendus, par erreur ou par obligation, ces personnes peuvent vomir ou souffrir de nausées pendant des jours. Dans son autobiographie, Gandhi rapporte une anecdote à ce propos.

Phobies des techniques médicales, du sang et des accidents

Parmi les techniques médicales, les interventions du dentiste et les injections créent beaucoup d'anxiété et déclenchent parfois des phobies. Des caries dentaires sévères demeurent sans traitement chez certaines personnes à cause de leur incapacité de se rendre chez le dentiste, et un traitement médical approprié est remis pendant des années, chez d'autres, par crainte des médecins. Une jeune femme craignait tellement les ambulances et les hôpitaux qu'elle demeura dans sa chambre pendant presque deux ans pour éviter la vue ou le bruit d'une ambulance. Lorsque le médecin lui demanda ce qui arriverait si on devait la transporter à l'hôpital, elle répondit: « Mon choix est fait; je mourrais plutôt que d'aller en ambulance. » De grands malades peuvent refuser une chirurgie majeure et des antibiotiques qui peuvent leur sauver la vie, à cause de leur phobie des seringues et des injections.

Parmi les problèmes de ce genre, la phobie du sang et des plaies demeure la plus commune. Il est bien sûr normal de se sentir faible à la vue de beaucoup de sang ou de plaies sévères, mais les gens sont habituellement capables de surmonter cette difficulté. La phobie du sang atteint une telle intensité chez certaines femmes qu'elles refusent la grossesse par peur du sang lors de l'accouchement. Une jeune femme avait peur de devenir enceinte à cause d'une phobie de l'examen gynécologique; elle avait par contre des relations sexuelles normales avec son époux.

Dans la plupart des phobies, le rythme cardiaque s'accélère lorsque le malade est en présence de l'objet de sa peur, et les pertes de connaissance sont rares. Chez les gens qui ont peur du sang et des accidents, le rythme cardiaque ralentit et la perte de conscience s'ensuit indubitablement. Cette différence s'avère difficile à expliquer, même si les lipothymies ressemblent étrangement au comportement de certains animaux qui, apeurés, « font le mort ».

Traitement de la phobie du sang

Marie, vingt-neuf ans, avait deux enfants. Depuis l'âge de quatre ans, elle perdait connaissance à la vue du sang ou d'un accident et même lorsqu'elle entendait quelqu'un en parler. Elle avait laissé tomber son ambition de devenir institutrice, à cause de sa peur de s'évanouir lorsqu'elle aurait à soigner ses élèves. Elle évitait les films et les pièces de théâtre par crainte de voir des scènes d'accidents ou de blessures sanglantes. Elle décida de vaincre son problème à la suite de sa honte d'avoir perdu conscience à l'urgence d'un hôpital, alors que l'on faisait un pansement à son petit garçon.

A l'évaluation, Marie, aidée du thérapeute, choisit quatre objectifs à atteindre: surveiller une technicienne faire un prélèvement de sang chez un malade, se faire prendre une prise de sang, être présente lorsque ses enfants recevraient les premiers soins et subir un traitement pour ses varices. Lors du traitement, elle dut se familiariser avec des scènes de sang et d'accidents qu'on lui faisait voir. Au cours des premières séances, la malade s'étendait par terre pour prévenir l'évanouissement; de cette façon, sa circulation cérébrale était suffisante malgré la diminution importante du rythme cardiaque. Ainsi, à la première séance, Marie s'étendit sur un divan et regarda la technicienne faire une prise de sang au thérapeute. A son grand contentement, pour la première fois de sa vie, elle n'avait pas perdu conscience. Toujours en position couchée, la technicienne procéda ensuite à une prise sanguine chez la malade qui demeura consciente; elle se sentit cependant très faible lorsqu'elle essaya de se lever peu de temps après. Elle emporta à cette occasion une éprouvette remplie de sang qu'elle garda à la maison.

Au cours des séances subséquentes, à cause des problèmes pratiques évidents, le thérapeute lui demanda d'imaginer des accidents et d'en regarder sur des films. Elle décrivit alors des scènes où elle avait un accident d'automobile, subissait de graves blessures aux jambes et avait des doigts amputés. Elle assista au visionnement de films portant sur des interventions chirurgicales, des accidents, des transfusions sanguines et sur la chirurgie cardiaque; elle perdit connaissance une seule fois. Elle persista à visionner ces films jusqu'à l'ennui. Enfin, elle visita le département d'hématologie d'un hôpital du voisinage où elle subit une nouvelle prise de sang.

Entre les séances, elle réussit à panser les petites coupures de ses enfants et à recevoir des injections sclérosantes pour ses varices. Après huit mois de postcure, elle ne présentait plus aucun problème; elle participait à une classe de premiers soins, avait commencé son cours d'institutrice et se rendait au cinéma et au théâtre sans difficulté.

La phobie des arches et des tunnels

Une jeune femme se plaignait d'une phobie très inhabituelle des arches et des tunnels. Elle nous consulta lorsqu'elle prit des leçons de conduite parce qu'elle se fermait les yeux à l'approche des tunnels ou devenait très tendue si elle les gardait ouverts. Seuls les arches et les tunnels déclenchaient l'anxiété; elle n'était nullement incommodée quand les structures n'avaient pas la forme d'une voûte.

Autres phobies

Toute situation peut provoquer une phobie: être près d'un fumeur, porter des chemises blanches, traverser une rivière, être frappé dans le dos, lire des livres ou des lettres, regarder des poupées ou des casques de pompiers, etc... La phobie des feuilles est très rare. « J'ai très peur des feuilles, surtout de la rhubarbe. Je ne peux les approcher. Si j'en vois, j'ai des palpitations et je tremble. J'ai toujours eu cette peur depuis l'âge de deux ans. Mon mari ne peut endurer cette situation et je suis trop embarrassée pour voir le médecin. »

Certaines personnes ont peur d'être éloignées des cabinets publics car elles craignent de souiller ou de mouiller leurs sous-vêtements. De façon étrange, elles ne présentent d'habitude aucune crainte de la nudité ou de relations sexuelles. Ce problème se présente parfois comme une phobie bien qu'il n'existe aucune peur reliée à certaines situations particulières. Ces malades ont plutôt une sensation physique et des symptômes associés à la peur. Le besoin d'uriner ou de déféquer apparaît la plupart du temps dans des situations sociales; ils peuvent aller aux cabinets des dizaines de fois par jour, éviter toute situation sociale ou choisir seulement des endroits avec un cabinet d'aisances à proximité. Certains hommes sont incapables d'uriner en présence d'autres personnes et perdent beaucoup de temps à surveiller et à attendre que le cabinet d'aisances soit vide.

Nous avons cru que Joan parviendrait à se détendre et à uriner si elle réussissait à s'asseoir sur la cuvette et à demeurer dans un cabinet d'aisances public pendant un bon moment. Pour ce faire, elle dut se rapporter à la première séance de traitement à trois heures de l'après-midi, sans avoir uriné depuis le matin et après avoir bu cinq tasses de café. La thérapie consista à l'envoyer aux w.-c. de l'hôpital et à attendre jusqu'à ce qu'elle urine. Le thérapeute l'informa qu'à la longue sa tension diminuerait dans cette situation et qu'elle pourrait alors uriner; il l'avisa également qu'elle devrait graduellement faire face à des situations plus difficiles. Au cours des trois premières séances, le thérapeute attendit Joan à plusieurs pieds des cabinets. De la quatrième à la huitième séance, il fit le guet à la porte de la salle de bains. De la neuvième à la douzième séance, il se tint à la porte en parlant avec quelqu'un et, de la treizième à la quinzième séance, le médecin patienta silencieusement avec une autre personne. Cette situation engendrait beaucoup d'anxiété chez la malade. Au début, Joan prit plus de deux heures pour uriner quelques gouttes. Après quelques séances, elle vidait sa vessie en moins de dix minutes et à partir de la douzième séance, elle urinait spontanément deux litres, soit presque un demi-gallon. Ceci donne une idée de sa capacité à retenir ses urines. Avant le traitement, la malade ne ressentait aucun besoin d'uriner en dehors de son domicile, même si sa vessie était distendue. A la dixième séance, elle arriva en courant à l'hôpital, une demi-heure avant son rendez-vous avec une forte envie d'uriner; sa vessie était complètement vide après huit minutes. Plusieurs jours plus tard, elle urina chez des amis qui lui rapportèrent que c'était la première fois qu'elle leur demandait la permission d'aller aux cabinets depuis leur rencontre dix ans auparavant; elle leur raconta son histoire et éprouva un grand soulagement. Elle urina sans difficulté chez un autre ami qui lui exprima aussi sa surprise; elle confessa à nouveau son problème, fière de sa réussite. A la postcure d'un an, Joan urinait toujours sans ennui dans les w.-c. publics, mais trouvait encore difficile d'utiliser la salle de bains à son travail; cette situation particulière n'avait pas été abordée lors du traitement.

Enfin, certains asthmatiques remarquent que des états psychologiques particuliers déclenchent leurs crises d'asthme: par exemple à la suite d'une mésentente avec le patron ou d'une altercation avec l'épouse. S'ils évitent ces situations, la fréquence des

attaques diminue. La sudation excessive s'avère très embarras-
sante dans des situations sociales et le fait de rougir cause des
difficultés similaires. Certains événements spécifiques occasionnent des nausées et des vomissements; certaines personnes évitent les soirées mondaines parce que l'alcool les rend nauséeux.

Anxiété retrouvée dans les compétitions et les jeux de hasard

Dans ce monde du sport et du travail, les gens se disputent
constamment des enjeux pour sortir vainqueurs d'une compéti-
tion ou obtenir une promotion. Les athlètes peuvent être très tendus avant une course importante, et les travailleurs très irritables
avec leurs apprentis, jusqu'à ce qu'ils obtiennent la promotion désirée. La journée précédant un concert important devient habituellement intolérable pour la famille d'un pianiste. L'anxiété des
examens touche plusieurs étudiants et les empêche de réussir
leurs études. Les conseillers pédagogiques font quotidiennement
face à des problèmes d'anxiété reliés à la passation de tests. De
nombreux joueurs à l'argent ont gâché la vie de leurs familles. En
perdant de plus en plus, le jeu devient une source persistante de
tracas et de tension et le joueur continuer à gager pour tenter de
diminuer son anxiété. Un homme de trente-trois ans nous consulta parce qu'il pariait presque tous les jours depuis les six dernières
années; couvert de dettes, la ruine de sa famille était à l'origine
des multiples querelles avec son épouse. Il ne gageait jamais par
téléphone, mais se rendait chez des tenanciers et plaçait l'argent
qu'il avait emprunté. Durant les fins de semaine, il restait à la
maison par crainte de parier davantage et d'être découvert par sa
femme. Il s'adonnait habituellement aux courses de chevaux,
mais il avait déjà gagé 400 livres sterling sur les chiens. A cause
de son impulsion, il était très tendu au travail, obsédé par la possibilité de gagner malgré ses pertes répétées. En venant à l'hôpital,
il s'arrêta chez un tenancier, misa 500 livres sterling et perdit son
pari. Il se présenta à l'entrevue avec une heure de retard et, lorsque je l'ai vu, il se tordait les mains de désespoir; il m'avoua
qu'il avait encore le désir de sortir pour gager à nouveau et tenter
de récupérer son argent.

Les phobies chez les enfants

Les peurs sont beaucop plus fréquentes et plus intenses
chez les enfants que chez les adultes; elles commencent, fluctuent

et disparaissent souvent sans aucune raison apparente. On constate d'ailleurs que, pour la plupart, ces sentiments sont plus labiles et plus facilement perceptibles chez les bambins. Pour ces raisons, il est difficile de différencier leurs peurs normales de leurs phobies.

La peur est une réponse innée à certains stimuli; elle se distingue des autres sentiments dans les premières années de la vie. La réaction de sursaut chez les nouveau-nés représente un signe précurseur de la peur; tout stimulus intense, soudain et inattendu provoque chez le bébé des mouvements des mains et des pieds de même que des pleurs. Vers l'âge de six mois, la peur amène une réaction de sursaut dans certaines situations, comme en présence des étrangers à un an, et des animaux plus tard. De plus, les peurs changent à mesure que l'enfant grandit. Entre deux et quatre ans la peur des animaux domine; elle est remplacée ensuite par la peur de la noirceur et des personnes imaginaires. La phobie des animaux diminue très rapidement entre neuf et onze ans et disparaît presque complètement à la puberté. Par contre, d'autres peurs ne s'estompent pas à l'adolescence: c'est le cas de la timidité et des craintes de rencontrer de nouvelles personnes. Un peu plus de la moitié de 6 000 enfants évalués à Londres présentaient ce type de problèmes; très peu d'entre eux avaient peur de la noirceur et des animaux.

Les parents sous-estiment bien souvent les peurs de leurs enfants. Dans une étude en Californie, 900 enfants sur 1 000 avaient présenté à un moment donné, entre les âges de deux et quatorze ans, au moins une peur spécifique; la fréquence des phobies diminuait avec l'âge et l'incidence la plus élevée se retrouvait à l'âge de trois ans. Dans une autre étude à Leicester, en Angleterre, quarante-sept de cent quarante-deux enfants entre deux et sept ans se plaignaient de peurs spécifiques; celles-ci diminuèrent cependant dans l'année et demie qui suivit. Malgré leurs nombreuses peurs, les enfants souffrent rarement de phobies qui handicapent. Lors d'une évaluation de plus de 2 000 enfants à l'Ile de Wight, seulement seize d'entre eux souffraient de phobies incommodantes: cinq enfants avaient une phobie des araignées, six craignaient la noirceur et les autres rapportaient des phobies multiples. Parmi les 239 enfants référés en psychiatrie, seulement dix d'entre eux étaient atteints de phobies spécifiques.

Les phobies peuvent entraîner la même incapacité chez les enfants que chez les adultes. Un garçonnet de sept ans avait une phobie des abeilles depuis deux ans: « J'ai très peur des abeilles;

je crains qu'elles me piquent et me blessent. » Dès qu'il voyait une abeille, sa mère s'en apercevait: « Il a l'habitude de devenir blanc et en sueur; il a froid, il tremble et ses jambes sont molles. » Il se sauvait aveuglément à l'apparition d'une abeille et perdait alors toute coordination. Il refusait de jouer dehors durant l'été et sa mère devait le conduire à l'école en automobile au printemps. A au moins deux reprises, il avait traversé en courant des rues achalandées, à la vue d'une abeille.

La plupart des études confirment une plus grande fréquence des peurs chez les filles. Nous ne savons pas si cette constatation provient du fait que la société apprend davantage aux garçons à maîtriser leur peur et à exploiter leur bravoure ou s'il existe une différence biologique rendant les filles plus craintives que les garçons. Il est possible que les deux explications soient également plausibles.

Le lieu de résidence joue également un rôle. Les enfants d'origine rurale semblent plus effrayés par les animaux que ceux qui sont élevés à la ville. Par contre, les peurs portent souvent sur des objets que l'enfant n'a jamais rencontrés ou qui n'existent pas dans la région. Elles s'acquièrent parfois par l'imitation des membres de la famile qui ont les mêmes problèmes; un malade sur six présente une phobie similaire à celle d'un proche parent. Au cours de la Deuxième Guerre mondiale, les raids aériens apeuraient vraiment les enfants anglais d'âge préscolaire lorsque leurs mères montraient elles-mêmes leur peur. Il semble donc que les enfants développent moins de phobies s'ils passent à travers une expérience terrifiante en compagnie d'un adulte en qui ils ont confiance.

Ajoutons que les déficients mentaux et les enfants autistiques souffrent de nombreuses peurs qui ne disparaissent pas facilement et qui compliquent leur vie. Un garçon de dix-sept ans atteint d'un dommage cérébral à la suite d'une rougeole était terrorisé par les chiens. Lorsqu'il voyait un chien dans la rue, il se mettait à grogner de terreur. Son grognement provoquait les animaux qui, à leur tour, grondaient et sautaient, augmentant par le fait même la peur du malade. A cause de sa phobie, il était incapable de sortir, même dans la cour de la maison de ses parents. Certains bruits terrifiaient tellement une jeune fille autistique qu'elle risquait sa propre vie. Si un chien aboyait soudainement, si un enfant criait ou si quelqu'un riait fort, elle fuyait immédiatement dans la rue sans se soucier des automobiles. Pour cette raison, ses parents n'osaient jamais la laisser sortir seule.

La phobie de l'école

La plupart des enfants montrent à certains moments une répugnance à aller à l'école. Chez quelques-uns, cette répugnance aboutit à un refus total qui peut devenir un problème sérieux nommé « phobie scolaire ». Bien sûr, tous les enfants ressentent à différents moments, et jusqu'à un certain point, de l'anxiété face à l'école, mais cette détresse est généralement de courte durée et s'efface sans traitement.

La phobie de l'école diffère de l'école buissonnière. Dans ce dernier cas, les enfants ne refusent pas d'aller à l'école, mais ne s'y rendent pas et vagabondent, seuls ou avec d'autres compagnons; les parents ne sont habituellement pas au courant de la situation et l'apprennent par les autorités scolaires. L'école buissonnière est souvent associée à d'autres comportements délinquants, à des changements fréquents d'école, à une histoire d'absence des parents, à une discipline inconstante à la maison et à de pauvres résultats académiques.

Les enfants qui souffrent de phobie scolaire refusent d'aller à l'école, ne montrent pas d'autres comportements délinquants, n'ont pas d'histoire d'absence des parents à la maison et réussissent très bien à l'école. Ils présentent également plus de symptômes physiques de l'anxiété que les autres, surtout des difficultés à manger et à dormir, des douleurs abdominales de même que des nausées et des vomissements.

La plupart du temps l'enfant manifeste seulement un refus d'aller à l'école. Les jeunes enfants peuvent ne donner aucune raison pour ce refus alors que les plus vieux l'attribuent parfois à divers aspects de la vie scolaire; peur d'être ridiculisés, de se faire bousculer, de se changer en présence d'autres enfants, d'aller à la piscine, de prendre une douche ou d'avoir une mauvaise apparence physique. A l'occasion, l'anxiété découle d'une mauvaise performance sportive et académique ou de la peur du professeur. Quelques-uns craignent qu'un accident arrive à leur mère pendant qu'ils sont à l'école; d'autres sont anxieux à propos des menstruations ou de la masturbation, au moment de la puberté. Enfin, certains refusent de se rendre en classe par crainte de vomir ou de perdre connaissance.

Les peurs de l'enfant ne s'expriment pas nécessairement de façon directe. Elles peuvent se présenter sous forme de symptômes physiques qui apparaissent particulièrement le matin lorsque l'enfant doit quitter la maison: nausées, vomissements, maux de tête, diarrhée, douleurs abdominales, maux de gorge et douleurs aux jambes. La perte d'appétit, l'insomnie et d'autres peurs variées complètent assez souvent le tableau. Les plaintes de l'écolier peuvent augmenter l'anxiété des parents qui le garderont alors à la maison. Habituellement, les symptômes diminuent lorsque l'enfant est assuré qu'on ne l'enverra pas à l'école. La description suivante est typique: l'enfant se plaint de nausées au déjeuner; il peut vomir et résister à toute tentative d'apaisement de la part de sa mère, elle-même anxieuse. La crise survient, la mère tombe dans le panneau et permet à l'enfant de demeurer à la maison. Il se sent alors beaucoup mieux à moins qu'on fasse de nouveau pression pour qu'il aille à l'école.

Chez de nombreux enfants, la phobie scolaire se développe de façon insidieuse, allant de la résistance grandissante à l'école jusqu'au refus complet de s'y rendre. Avant d'atteindre ce stade ultime, ils présentent de l'irritabilité, des pleurs, de la fatigue, de la pâleur, des tremblements et d'autres symptômes somatiques lorsqu'ils doivent partir pour l'école. Pour quelques-uns, la peur commence subitement le lundi matin, au début d'un nouveau semestre, ou lors du retour à l'école à la suite d'une maladie. Un changement d'école ou une mortalité, quoique cela soit moins fréquent, le départ ou la maladie d'un parent peuvent déclencher la phobie. En Angleterre, ces problèmes apparaissent souvent vers l'âge de onze, douze ans et coïncident avec le passage de l'école primaire à l'école secondaire.

Disons un mot de l'importance de l'attitude des parents qui montrent souvent trop d'indulgence et de complaisance envers leurs enfants. Dans le cas de la phobie scolaire, les mères dépendent largement de leurs enfants pour compenser leurs relations conjugales et sociales insatisfaisantes. La mère et l'enfant doivent donc participer au traitement lorsqu'il existe une dépendance émotionnelle excessive, car le seul traitement de l'enfant peut augmenter l'anxiété et l'insécurité de la mère à un point tel qu'elle peut retirer l'enfant de la thérapie.

Des auteurs prétendent que la phobie scolaire est un mauvais diagnostic; ils se basent sur le fait que cette condition n'est pas une peur de l'école, mais plutôt une peur de quitter la mère. Cette opinion ne représente qu'un côté de la médaille car plusieurs enfants craignent davantage l'école que de laisser leur mère; d'autres ont peur de l'école et de la séparation des parents.

Le traitement des phobies chez les enfants ressemble à celui des adultes. Par différents jeux, l'enfant se rapproche graduellement de l'objet phobique et demeure dans la situation anxiogène jusqu'à ce qu'il ne ressente plus le besoin de se sauver. Pendant ce temps, on peut faire des blagues avec l'enfant, lui donner des bonbons et le féliciter de ses progrès. L'observation d'autres enfants dans la même situation s'avère aussi très utile: par exemple, un bambin qui a peur des chiens se sent plus courageux lorsqu'il voit un autre enfant du même âge et du même sexe flatter un chien. L'achat d'un petit chien ou d'un chat aide également; l'enfant s'habitue à jouer avec l'animal et se désensibilise à mesure que celui-ci grandit. J'ai traité ainsi ma fille de trois ans et demi en lui faisant cadeau d'un petit chat et en lui enseignant à jouer avec lui; elle perdit rapidement sa peur et s'attacha énormément à l'animal.

Dans le traitement de la phobie de l'école, il faut vérifier avant tout si les conditions scolaires sont tolérables, si les exigences académiques ne sont pas excessives et si l'enfant n'est pas bousculé par ses compagnons. Ces problèmes doivent d'abord être réglés. Si l'enfant a simplement peur d'une situation normale, le thérapeute devra le pousser à retourner à l'école et à y demeurer même si l'idée lui déplaît. L'intérêt qu'on lui portera de même que des félicitations pour son travail peuvent aider énormément.

Les problèmes obsessifs-compulsifs

Certaines personnes aiment être toujours propres et bien ordonnées alors que d'autres ne s'énervent absolument pas si la maison est sens dessus dessous ou s'il y a une tache sur leur pantalon. Il existe une grande variété de comportements en rapport avec ces situations. Le docteur Elisabeth Fenwick, une journaliste médicale, a bien décrit cet état d'esprit: « J'ai déjà rencontré une femme qui repassait les couches de son bébé. Quand je lui ai demandé pourquoi elle faisait cela, elle me rapporta que c'était la seule façon d'avoir des couches très carrées. »

« Esthétiquement, je peux apprécier des couches bien pliées comme tout le monde, mais il y a des choses que je ne peux pas sacrifier. Sur une échelle d'évaluation de zéro à cinq, mon score serait probablement de deux en comparaison des personnes qui ne repassent pas les draps ou qui, pour ce qui est des chemises, repassent seulement les parties qui paraissent; je serais sûrement loin derrière les femmes qui repassent les pyjamas, les linges à vaisselle et les couches... Je respecte ma mère d'être comme moi, mais elle le cache mieux. Elle se leva une fois et rapporta à mon père: 'J'ai eu un terrible rêve, dit-elle, j'étais dans la cuisine et malgré mes essais, je ne réussissais pas à me faire une boisson chaude. Il y avait du riz dans le pot de café et du sucre dans le pot de thé.' Mon père la regarda comme si le monde s'était arrêté. 'Mais c'est effectivement ce qu'il y a', dit-il. »

« Ma grand-mère avait l'habitude de faire des biscuits au gingembre. Chaque biscuit mesurait trois pouces de diamètre et pesait une demi-once. Pour arriver au poids exact, elle prenait un morceau de pâte et en enlevait jusqu'à ce qu'il atteigne la pesanteur voulue sur la balance; elle ne trichait pas non plus en pesant un morceau de deux onces et en le coupant en quatre. Tous ces comportements prennent du temps, ce qui explique pourquoi je ne suis pas aussi obsessionnelle que je pourrais l'être. Ma grand-mère n'a jamais coupé un bout de corde de toute sa vie, si séduisant que soit le colis. Elle défaisait chaque nœud, enroulait la corde en une petite balle, la rangeait dans la boîte de chocolats dorée de Terry sur laquelle il y avait un papier où était écrit le mot « corde »; cette boîte était placée à droite, dans le tiroir du haut d'un meuble, à côté d'une autre boîte portant l'inscription « chandelles » et qui contenait effectivement des chandelles. Lorsque nous devions chercher un fusible, au cours d'une panne d'électricité à la maison, il était toujours plus facile de courir chez grand-mère pour lui emprunter une chandelle que de se retrouver dans le noir. Si j'étais obsessionnelle comme grand-maman, je placerais le reste du beurre à l'ail dans un plat et le déposerais dans le réfrigérateur. Je le mettrais dans un vieux pot de yogourt avec son couvercle, j'écrirais « beurre à l'ail » sur le pot et je le rangerais à droite et à l'arrière sur la tablette du haut. De cette façon, je ne le confondrais pas avec le glaçage à gâteau trois semaines plus tard. »

Plusieurs petites querelles surviennent entre mari et femme parce que l'un tient à tout ranger alors que c'est le contraire pour l'autre. Bien que l'ordre et la propreté aident les gens dans leur travail et leur vie quotidienne, il arrive parfois que ces vertus gouvernent chaque action; c'est à ce point qu'est posé le diagnostic de névrose obsessive-compulsive, ou névrose obsessionnelle. En effet, certaines personnes souffrent de pensées désagréables et répétitives ou font des actes qu'elles se sentent poussées à accomplir contre leur volonté. Les idées importunes reviennent tant et plus dans leur esprit malgré toute tentative de les éliminer; ces pensées, appelées ruminations, peuvent porter sur la peur de se contaminer ou de contaminer d'autres personnes, de blesser des gens, etc.

Les comportements obsessifs-compulsifs créent beaucoup d'embarras et d'anxiété.

Une jeune mariée de vingt-cinq ans décrivait ses difficultés de la façon suivante: « Mon problème gâche toute ma vie; si j'en avais le courage, je me tuerais pour me débarrasser de tout cela qui continue tant et plus, jour après jour. L'obsession gouverne tout ce que je fais; dès que j'ouvre les yeux le matin et jusqu'à ce que je les referme le soir, elle est là. Elle me dicte ce que je peux toucher et ne pas toucher, où je peux marcher et ne pas marcher. Je peux toucher le sol, mais je ne peux toucher ni des souliers ni des bordures de manteaux; je ne peux pas aller aux lavabos sans me laver les mains et les bras jusqu'aux coudes une douzaine de fois. Quand quelqu'un touche ses souliers, je ne peux le laisser me toucher car je me sentirais sale et je devrais me laver. Le tout commença avec la peur des selles, d'abord des selles humaines puis des excréments de chiens, mais maintenant ce sont surtout les excréments de chiens. Je fais bien attention où je marche car j'ai toujours dans mon esprit l'idée d'avoir pu marcher dans la saleté. »

(« Et si en fait vous vous salissez? ») « C'est drôle à dire, mais ce n'est pas si mal. Je sens venir la panique et je veux mourir, mais je sais que je ne peux pas mourir seulement en le désirant. Pour diminuer mon anxiété, je dois me laver en suivant un rituel si rigoureux et si long qu'il me semble sans fin; je dois même laver les robinets et l'évier avant de me laver les mains. Je sais que c'est dans mon esprit et que c'est ridicule, mais je ne peux pas l'accepter. Je ne sais pas pourquoi j'ai tellement peur de la saleté tout le temps, mais il en est ainsi. »

(« Combattez-vous ces émotions? ») « Oui, je le fais tout le temps et je réussis habituellement après une heure ou deux, mais la peur est toujours là. Cela m'effraie parce que je ne sais pas quoi penser ni comment vaincre mon problème. Rien ne m'intéresse dans la vie et je me fous de mon apparence; j'ai bien sûr de bons moments, mais ils durent à peine une minute et disparaissent. J'avais l'habitude de prendre un bain pendant une heure en me frottant sans arrêt, mais je prends maintenant une demi-heure et je peux utiliser les lavabos publics s'ils sont propres. La peur est maintenant beaucoup plus à l'extérieur de moi, c'est-à-dire où je marche. Les choses semblent changer et les peurs varient; la peur initiale est toujours là, mais elle s'est amplifiée et s'est étendue à des objets que je pouvais toucher auparavant. A un moment donné, il y a déjà longtemps, j'ai essayé de cesser de me laver pendant une semaine; c'était terrible, j'ai eu des cauchemars, j'étais prête à me mettre à crier tout le temps surtout si quelqu'un me regardait. Je n'ai jamais tenté cette expérience à nouveau. Je ne veux pas continuer comme cela, je veux changer, je ne veux plus croire que la vie est inutile. »

Les peurs obsessionnelles de contamination provoquent habituellement des lavages compulsifs et des rituels d'abstention. Ces malades peuvent se sentir contaminés chaque fois qu'ils urinent ou qu'ils vont à la selle, ou encore après avoir approché des chiens; ils peuvent prendre des bains et se laver pendant des heures à la suite de chacune de ces actions. Une femme croyait que son garçon était contaminé; elle développa des rituels très compliqués pour laver non seulement ses vêtements et sa chambre, mais tout ce qui était en contact avec lui. Un autre malade croyait que les chiens étaient sales; il passa la plus grande partie de sa vie à éviter les chiens, les poils de chiens et même les immeubles où il y avait eu des chiens. Il quitta son emploi quand il apprit qu'un chien était allé à l'étage au-dessus du bureau où il travaillait. A la moindre possibilité de contamination, il lavait tous ses vêtements et prenait lui-même un bain par la suite. De façon étonnante, il avait autant peur des poils qui avaient été arrachés à un chien que du chien lui-même. Cet homme préférait toucher à un chien avec ses mains plutôt qu'avec ses vêtements parce qu'il lui était plus facile de se laver les mains que de laver ses vêtements. De façon similaire, une femme obsédée par la possibilité d'accidents causés par des morceaux de vitres avait beaucoup plus peur des petits éclats que des gros morceaux qu'elle pouvait ramasser à mains nues. Comme nous venons de le voir, une phobie obsessionnelle n'est donc pas une peur directe d'un objet ou d'une situation donnée, mais plutôt une hantise de ce qui peut arriver après avoir été dans une situation particulière ou en contact avec certains objets.

Les peurs obsessionnelles de blesser des personnes incluent celles de tuer, de poignarder, d'étrangler, de battre ou de mutiler; elles peuvent conduire à s'écarter volontairement de certains objets potentiellement dangereux et à des rituels de protection très compliqués. Une ménagère devait cacher tous les couteaux pour éloigner la tentation; certaines mères exigent un besoin constant de compagnie à cause de leur crainte d'étrangler leur nourrisson. Des malades ont parfois peur d'avaler des épingles, du verre brisé ou d'autres objets pointus et vont à des extrêmes ridicules pour se protéger contre la moindre possibilité de passer à l'acte.

Le risque que les idées obsessionnelles se transforment en actes demeure minime; en effet, il est rare que des malades obsessionnels assassinent, blessent ou étranglent d'autres personnes.

Les sentiments des malades atteints de ruminations étaient déjà clairement décrits il y a cent ans. « Maintenant, Monsieur, je suis un maniaque homicidaire et parfois suicidaire. Jusqu'à maintenant, je n'ai eu que des pensées; je ne les ai jamais mises en pratique, même si je ne peux pas les contrôler... Un soir, ma mère était absente de la maison et j'ai dormi avec mon père. Il y avait un vieux poignard dans la chambre; mes pensées étaient inconscientes, involontaires, incontrôlables. J'ai senti une impulsion irrésistible de me lever et de tuer mon père avec le poignard, mais je ne l'ai pas fait. Je me suis couché en tremblant et je me suis endormi... Où que j'aille, où que je sois, à l'église, dans une chapelle, sur la rue, dans la maison ou au cours d'assemblées publiques, les mêmes idées me poursuivent. Je n'entends pas de voix, cela semble une impulsion. Comme d'autres gens, j'ai l'impulsion de sortir et de faire le trottoir, mais il ne survient rien qui puisse provoquer ces pensées. »

Plus récemment, un autre malade raconta le même problème: « Une nuit, après plusieurs semaines de douleurs intenses, j'étais étendu sur mon lit, tendu et découragé; une impulsion terrible m'a subitement saisi; je voulais détruire une personne que j'aimais particulièrement. Je m'enfonçai sous les couvertures et je combattis tant bien que mal cette impulsion démoniaque. J'étais tellement énervé que le lit se mit à trembler. Je m'accrochai alors au pied du lit et je mordis dans le bois; c'était incontrôlable. J'ai fermé les yeux, j'ai plié la tête et je suis sorti de la maison. Nupieds et en pyjamas, j'ai couru au poste de police et j'ai imploré l'agent de me mettre en cellule. Par chance, le policier en devoir était humain et sensible. Il me donna un manteau et me dit de m'asseoir devant lui; il dut avertir mes amis, parce que ma femme et ma sœur vinrent me chercher avec des vêtements. Le pire était passé; désespéré au point de vouloir mourir, je les accompagnai à la maison. »

Parmi les centaines de malades obsessionnels que j'ai vus, seulement trois cédèrent à leur impulsion de blesser quelqu'un. Une jeune femme se sentait poussée à arracher les croûtes sur la peau de son bébé. A cause de l'intensité de ses pulsions, il était même difficile de la retenir physiquement quand elle découvrait une lésion sur la peau de son fils. Après le traitement, ce problème disparut. Une autre femme avait l'impulsion de vouloir tuer son enfant de deux ans. Elle combattit cette pensée sans se faire traiter, mais le danger d'homicide devint si imminent qu'elle dut être séparée de sa fille.

Certains rituels compulsifs sont reliés aux cheveux. Un homme de vingt-neuf ans passait cinq heures par jour à laver et à peigner ses cheveux; il vérifiait également s'il y avait des cheveux dans son lit et sur le plancher. Il se sentait mal à l'aise quand il voyait des cheveux sur ses vêtements et ne pouvait résister à les enlever. En plus de plusieurs autres rituels, un jeune homme passait jusqu'à quatre heures chaque matin à actionner la balayeuse et à nettoyer sa chambre pour la débarrasser des cheveux; il redoutait même la présence de cheveux dans la balayeuse. De façon étrange, les poils de pubis et d'animaux ne le tracassaient nullement.

Une impulsion inhabituelle fut rapportée par cette jeune femme qui éprouvait des désirs intenses de surveiller son fiancé lorsqu'il allait à la selle. Pourtant cette compulsion ne l'excitait pas sexuellement. Elle ne pouvait pas endurer que son ami ferme la porte de la toilette et elle lui lançait des noms si elle ne pouvait pas le surveiller. Quand il acquiesçait à sa demande, elle regardait les selles pendant plusieurs minutes. Comme vous pouvez vous l'imaginer, ce problème engendra de nombreuses querelles.

Les problèmes obsessionnels sévères désorganisent la vie de ces pauvres malades. Un juge éminent était incapable d'uriner ou de déféquer chez lui par crainte de contaminer son domicile. De plus, il ne pouvait avoir de relations sexuelles parce qu'il les jugeait sales. Lorsqu'il vint me voir, il avait quitté son emploi et il était vêtu d'un vieil habit taché; ses poches de veston étaient bourrées de papier hygiénique. Il ouvrit la porte de mon bureau en posant d'abord un bout de papier hygiénique sur la poignée et refusa de me donner la main par crainte de contamination.

L'irrationalité des idées obsessionnelles se retrouve chez cette femme qui se lavait les mains plus de cent fois par jour. A l'entrevue, elle présentait des fissures et des plaies sanguinolentes aux deux mains. Malgré cette propreté particulière, elle passait des semaines sans prendre un bain sans que cela lui cause de difficulté. Son maigre salaire ne lui suffisant pas pour payer le savon et le désinfectant, elle se décida donc à voler. Arrêtée pour vol à l'étalage, la police fut incapable de prendre des empreintes digitales car celles-ci étaient disparues.

Implications de la famille dans le rituel

Les obsessionnels entraînent bien souvent toute la famille dans leur rituel. Une femme de trente-six ans craignait tellement la tuberculose qu'elle ne balayait jamais sa maison; croyant que la poussière transportait les germes, elle la laissait s'accumuler sur les planchers. Elle était incapable de nourrir son fils de deux ans parce qu'elle avait peur de lui transmettre la tuberculose dont elle avait souffert plusieurs années auparavant. Le mari devait donc s'occuper de l'alimentation de l'enfant. De plus, le bambin était constamment gardé dans un parc; il ne pouvait jamais marcher ou se traîner dans la maison. Les visiteurs n'étaient pas admis parce qu'ils étaient potentiellement infectés; même sa grand-mère ne l'avait jamais vu.

Une autre jeune femme était tellement affligée par la contamination possible de son domicile qu'elle força sa famille à déménager cinq fois en trois ans. Certaines malades étaient tellement tracassées par la poussière qu'elles avaient obligé leur mari et leurs enfants à se déshabiller complètement dans un portique et à mettre des vêtements propres avant d'entrer dans la maison. Plusieurs malades empêchent les autres membres de la famille d'amener des visiteurs à la maison par crainte de la saleté ou de la contamination.

Les problèmes obsessionnels touchent parfois une partie de la famille. Ainsi, dans une famille, la mère et ses deux filles dormaient ensemble dans le même lit et toutes trois développèrent des rites similaires de lavage de mains, basés sur la peur de la saleté. Le père et le fils qui dormaient ensemble dans une autre chambre ne présentaient aucun symptôme.

Une forme spéciale de névrose obsessionnelle est la lenteur compulsive. Un homme atteint de ce handicap n'avait pas d'emploi depuis trois ans parce qu'il prenait trop de temps pour faire son ouvrage. Il lui fallait plusieurs heures pour se vêtir et prendre son déjeuner le matin. Il avait dû se raser la veille pour arriver à l'heure au rendez-vous que je lui avais fixé. Lorsque je lui ai demandé combien de temps il avait pris pour prendre son bain, il me demanda: « Voulez-vous dire à partir du moment où je suis entré dans le bain ou à partir du moment où j'ai commencé à penser à prendre un bain? » Il avait pris cinq heures pour se laver. Il prenait des heures pour traverser une rue car il vérifiait non seulement si une automobile allait apparaître, mais il regardait aussi toutes les voitures stationnées au cas où l'une d'elles partirait. Après avoir examiné l'intérieur des voitures stationnées, il regardait de nouveau dans la rue à plusieurs reprises; ceci lui prenait tellement de temps qu'il devait recommencer à vérifier les voitures stationnées, etc. Pour éteindre une lumière, il observait d'abord la position de ses souliers et reluquait ses talons à plusieurs reprises avant de mettre la main sur le commutateur; ce rite permettait, selon lui, d'éviter de recevoir un choc. Cette lenteur affectait la plupart de ses activités quotidiennes; il rationalisait son comportement en disant qu'il ne pouvait pas prendre le risque d'être écrasé ou électrocuté.

Une autre variante de la névrose obsessionnelle est l'entassement compulsif, c'est-à-dire l'accumulation excessive de différents objets. Cet état peut se combiner à des rites déjà décrits. Certaines personnes se voient dans l'impossibilité de jeter les rebuts; elles dépensent des heures à séparer les déchets avant de les mettre à la poubelle par crainte de jeter des aliments qui pourraient être encore bons. D'autres gardent des papiers sans valeur au point de remplir la maison. Ces malades peuvent acheter des quantités énormes d'aliments, de boîtes de conserve ou d'autres objets alors qu'il n'y a aucune disette en vue. La moindre tentative de se débarrasser de ces amoncellements de vieilleries provoque beaucoup d'anxiété chez le malade. Cette situation peut devenir intolérable quand les chambres et les passages sont remplis de vieux meubles, de papiers, de pots, de boîtes de conserve et de vêtements que le malade ne peut se décider à jeter. Un homme, incapable de se décider à abandonner sa vieille voiture qui n'avait plus de roues la laissait rouiller sur des blocs dans son garage; sa nouvelle voiture était stationnée en face de la maison.

Traitement de la névrose obsessionnelle

Le traitement de cette maladie ressemble à celui des phobies, mais il est généralement beaucoup plus long et exige souvent une admission à l'hôpital pendant quelques semaines de même qu'un court traitement au domicile du malade. Selon les besoins, toute la famille doit participer à la thérapie. Le cas d'Anne, une employée de banque de vingt-trois ans, servira d'exemple. D'une part, bien qu'elle fût encore vierge, depuis cinq ans elle avait eu peur de devenir enceinte à la moindre manifestation amoureuse. D'autre part, depuis dix-huit mois elle croyait que la plus petite égratignure était cancéreuse et, chaque fois, elle était à la recherche d'un traitement. Elle évitait systématiquement tous les objets porteurs de contamination possible, pour ne pas passer sa maladie à toute la famille. Pour cette raison, elle commença à se laver tant et plus. Six semaines avant le traitement, ses parents prirent des vacances et la laissèrent seule à la maison avec son jeune frère; pour diminuer son anxiété, son ami vint demeurer avec elle. Cette solution s'avéra néfaste car elle devint incapable de se rendre aux cabinets après son ami, par crainte de devenir enceinte en touchant le siège de la cuvette.

Avant son admission à l'hôpital, Anne vérifiait sans arrêt les commutateurs électriques parce qu'ils lui semblaient dangereux et elle regardait souvent par-dessus son épaule pour écarter la moindre menace. Elle ne voulait jamais quitter la banque la dernière par crainte de devoir faire les vérifications de sécurité. Elle se lavait les mains cent vingt-cinq fois par jour, utilisait quotidiennement trois morceaux de savon, sa douche durait trois heures et elle lavait ses cheveux à plusieurs reprises par peur des germes cancéreux. Elle croyait que le cancer se développait si lentement qu'elle n'aurait jamais aucune sécurité face à cette maladie.

Avec l'infirmière-thérapeute, Anne tenta d'atteindre les trois buts suivants sans rituel: préparer et assurer la cuisson d'un repas pour ses parents, laver ses cheveux et mettre son doigt sur une blessure et y lécher le sang.

En cours de traitement, l'infirmière accomplissait d'abord la tâche et Anne l'imitait par la suite. Entre les séances de traitement, un programme détaillé amenait graduellement Anne à faire face à la situation et à éliminer un par un ses rituels de vérification. Au début, l'infirmière lui demanda simplement de se limiter à l'utilisation d'un seul morceau de savon par jour et de cesser de se laver à l'eau courante; elle devait plutôt mettre le bouchon dans l'évier et se laver avec de l'eau stagnante. Par elle-même, Anne diminua la durée et la fréquence de ses lavages de mains. L'infirmière-thérapeute contamina sa chambre à coucher, le téléphone, les ustensiles de cuisine de même que la vaisselle. Anne se rendait chez elle durant les fins de semaine; le programme thérapeutique indiquait des exercices où elle devait se salir et transmettre cette prétendue contamination à ses parents et à la maison tout en réduisant le nombre de ses rites.

A l'hôpital travaillait une infirmière qui avait été opérée pour un cancer du sein plusieurs années auparavant; celle-ci pouvait donc être une source de cette présumée contamination pour la malade. Avec l'accord de cette infirmière, Anne surveilla sa thérapeute qui palpa d'abord la cicatrice, se toucha par la suite et posa enfin ses mains sur des objets dans la chambre; la malade fit alors la même chose. Anne se croyant complètement contaminée, on lui demanda de ne pas se laver les mains et de préparer un repas qu'elle mangea avec les deux infirmières.

Une fois la peur de la contamination améliorée, le programme visa à limiter les rites de vérification; Anne devait les restreindre et ne vérifier chaque objet d'observation qu'une seule fois. La peur de la grossesse fut ensuite attaquée. Le pyjama de son ami de même que ses sous-vêtements et sa serviette de bain furent placés près d'Anne. La thérapeute la persuada de toucher et de prendre ces objets pour surmonter sa peur. Elle utilisa la serviette et porta même le pyjama. De plus, elle devait dormir avec les sous-vêtements sous son oreiller. L'infirmière discuta avec le couple et formula un plan pour améliorer leurs contacts affectueux; l'intensité des caresses augmenta graduellement au point qu'Anne en vint à toucher au pénis de son ami, d'abord par dessus son pantalon puis à l'intérieur. A la fin, son ami pouvait la masturber.

Après quarante-sept séances de traitement, Anne retournait au travail et se limitait à l'utilisation d'un seul morceau de savon à toutes les deux semaines. L'amélioration persistait toujours à la postcure d'un an. Elle partit en vacances dans un autre pays sans cette crainte de contamination qui avait auparavant rendu de tels voyages impossibles. Elle reçut une promotion et prit en charge la routine de sécurité à la banque. Elle permit à ses parents de prendre des vacances et s'occupa de la maison, ce qu'elle n'avait jamais pu faire dans le passé. Elle faisait elle-même ses courses régulièrement et sa mère ne devait plus lui pousser dans le dos pour l'empêcher de s'adonner à ses rites; à la maison, elle aidait à la préparation des repas. Enfin, les préliminaires sexuels avec son fiancé étaient normaux.

Le cas d'Anne montre bien l'importance de la collaboration de la famille dans le traitement de certains malades obsessionnels. Pour illustrer ce point, voyons un exemple d'un programme de fin de semaine incluant la malade, ses parents et son fiancé.

PROGRAMME DE MLLE ANNE H.
FIN DE SEMAINE DU 18 AOUT

Travail d'Anne:
1) Préparer un repas ou aider sa mère à la préparation d'un repas sans se laver les mains.
2) Manier la vaisselle avant le repas.

3) Toucher les crayons, les plumes, le porte-monnaie et le rasoir de son père.
4) Toucher les bigoudis, le sac à main de sa mère sans se laver les mains ni avant ni après.
5) N'employer que son propre savon et se laver seulement avant un repas ou après être allée aux cabinets.
6) Mettre le bouchon dans l'évier avant chaque lavage.
7) Manger quelque chose, du yogourt ou du jello, avec ses mains.

Travail des parents:
1) Féliciter Anne lorsqu'elle accomplit ses tâches. Ne jamais dire que c'était facile.
2) Ne pas la rassurer.
3) Nous avertir si Anne présente tout comportement de crainte; si elle croit que quelque chose peut être dangereux, apporter cet objet à l'hôpital lorsqu'elle revient de congé de fin de semaine.
4) Faire un bref rapport sur les progrès accomplis durant la fin de semaine.

Rapport de fin de semaine des parents
à l'infirmière-thérapeute:

« Anne a passé la journée à la maison sans problème, ni pour elle ni pour nous. Il lui est encore difficile de se laver les mains dans l'évier et elle s'est rincée les mains et les poignets de façon exagérée après chaque lavage. Il semble que nous n'avons pas maîtrisé votre technique pour la persuader de changer sous ce rapport; d'ailleurs elle s'est fâchée à un moment donné, mais cela fut de courte durée. »

« De façon générale, nous avons constaté une nette amélioration en comparaison de l'état qu'elle présentait lorsqu'elle fut hospitalisée. Elle eut certaines difficultés dans un magasin; elle tournait en rond, vérifiait et craignait les appareils électriques. Elle nous ramena cependant dans sa voiture et, au retour, elle était tout à fait calme. Elle prépara les légumes et le dessert pour le repas du dimanche; si cela lui a causé une certaine appréhension, elle ne l'a pas montré. »

« Je crois cependant qu'elle s'en fait encore à propos du cancer, de là son problème des lavages compulsifs. Ses visites à la salle de bains créèrent également de l'anxiété. Nous sommes satisfaits de ses progrès. Parce qu'elle veut vaincre son problème, elle est facilement désappointée au moindre échec. »

Travail du fiancé:

1) Aller aux lavabos, ne pas se laver les mains et contaminer a) les sous-vêtements d'Anne, b) les genoux d'Anne, c) un Tampax (tampon hygiénique).
2) Envoyer un rapport au thérapeute sur ces activités.

Rapport du fiancé:

« Les sous-vêtements et le Tampax d'Anne furent contaminés à deux reprises au cours de la fin de semaine, soit samedi et lundi; ses genoux et ses cuisses l'ont été à plusieurs occasions; elle ne portait pas de bas. Je n'ai remarqué aucune anxiété.

« Me tenir près d'elle sur la plage ne lui causa aucun problème, contrairement à ce qui se passait auparavant. Une fin de semaine réussie. »

Rapport d'Anne:
Contamination des jambes: anxiété = 1
Contamination des sous-vêtements: anxiété = 2
Contamination du Tampax: anxiété = 2
(8 = panique, 0 = complètement calme)

L'apprentissage par imitation de même que l'exposition quotidienne aux situations problématiques sont donc d'une grande utilité dans le traitement des troubles obsessionnels. Dans l'apprentissage par imitation, le thérapeute accomplit d'abord la tâche que le malade doit faire par la suite en lui donnant des explications détaillées. Pour illustrer cette technique, citons le cas de ce malade préoccupé par un rituel qui lui permettait de s'assurer qu'il n'avait blessé personne. Chauffeur de camion depuis six ans, il avait presque cessé complètement de conduire car il avait constamment peur de causer un accident. Ses craintes s'arrêtaient uniquement lorsqu'il revenait sur la même route une seconde fois; à une occasion, il fit appel à la police pour être certain de ne rien avoir à se reprocher. Il vérifiait si les robinets étaient fermés, les lames de rasoir bien cachées et les tapis bien fixés aux planchers; il s'adonnait aussi à plusieurs autres rites de vérification qui lui rendaient la vie impossible et qui nuisaient à son mariage. Au cours des deux premiers jours de traitement, le thérapeute l'encouragea à accomplir certaines activités qu'il avait évitées depuis au moins quatre ans: conduire une automobile, bousculer des gens dans un supermarché, mettre des épingles, des allumettes et des roches sur le plancher de l'entrée de l'hôpital, ouvrir les robinets et les laisser couler, etc. Le thérapeute exécutait d'abord chaque activité et le malade l'imitait; chaque tâche fut systématiquement répétée. Après chaque séance de quarante minutes, le malade devait résister à son désir de vérifier et de demander qu'on le rassure. Malgré une anxiété extrême au cours des deux premiers jours de traitement, il s'améliora rapidement et était complètement débarrassé de ses symptômes à la fin de trois périodes de thérapie. L'amélioration persistait toujours, deux ans plus tard.

Participation de la famille au traitement

La névrose obsessionnelle se répercute souvent non seulement sur le style de vie du malade, mais également sur celui de sa famille. Le traitement doit donc, bien souvent, tenir compte de ce phénomène. Rappelons-nous cette malade dont l'enfant était confiné dans un parc par crainte de la contamination par la tuberculose. Cette femme demeurait à deux cents milles de Londres. Vers la fin de son séjour à l'hôpital, son mari loua une chambre près de la clinique et participa aux séances de traitement pour lui apprendre à nourrir seule son enfant, sans accomplir de rituels. Une infirmière accompagna la famille à la maison et demeura avec le couple pendant deux jours. La malade toucha aux poignées de porte et aux fenêtres, ce qu'elle refusait de faire antérieurement; elle balaya la maison au complet, nourrit son enfant adéquatement et ne s'adonna à aucun rituel. De son côté, l'époux renonça à pratiquer les nombreux rites que sa femme lui avait enseignés. La malade ayant appris à ne pas impliquer sa famille dans sa maladie et le mari ayant lui-même modifié son comportement, le traitement n'était plus nécessaire. A la postcure de deux ans, elle avait complètement éliminé ses anciens rites.

Certains malades demandent sans cesse à leurs parents, de les rassurer en disant par exemple: « Chéri, est-ce que j'ai touché à la poussière sur le bureau? » ou « Es-tu certain que je n'ai pas mis du poison dans les aliments? » Les parents ont habituellement été entraînés à répondre à répétition par des phrases rassurantes comme: « Non, tu n'as pas touché à la poussière » ou « Oui, je suis sûr qu'il n'y a pas de poison dans les aliments. » Durant le traitement, les parents doivent apprendre à ne pas les tranquilliser car le calme qu'ils en retirent ne provoque qu'une diminution très temporaire de l'anxiété. Le malade et le conjoint doivent parfois répéter une même scène plusieurs fois pour apprendre ce qu'ils doivent faire. Une malade peut demander à son mari: « Est-ce que le bébé va bien? » et l'époux doit alors répondre: « Je ne dois pas répondre à de telles questions. » Il est surprenant de constater combien il faut de temps pour apprendre cette simple réponse après plusieurs années de « Il va bien, il n'y a pas de problème. »

Enfin, nous croyons à l'utilité du traitement en groupe. Plusieurs familles se réunissent, les malades discutent ensemble de leurs difficultés et tous cherchent des solutions. Les rencontres ont lieu à quelques semaines d'intervalle; le groupe révise les progrès réalisés pendant ce temps et tente de trouver différentes tactiques pour réduire la fréquence des rituels qui persistent.

La lenteur compulsive se traite par une approche qui pourrait s'appeler « Le traitement du temps et des mouvements ». Le malade est poussé à agir de plus en plus rapidement jusqu'à ce qu'il puisse compléter ses activités dans un temps relativement normal. Ainsi, un homme qui prend trois heures à se préparer pour le déjeuner accomplira d'abord toutes ses activités en moins de deux heures et trois quarts; il utilisera un chronomètre et saura exactement ce qu'il doit faire le plus rapidement. Il devra par la suite être prêt à déjeuner après deux heures et demie, deux heures et quart et ainsi de suite jusqu'à ce qu'il ne prenne pas plus de temps qu'une personne moyenne, disons une demi-heure.

Le traitement de l'entassement compulsif vise à encourager le malade à vaincre sa résistance à jeter des choses par crainte de perdre une information vitale. Dans ce cas, le thérapeute accompagne habituellement le malade à son domicile. Avec lui, il jettera tranquillement de vieux journaux d'il y a dix ans pour l'habituer à l'idée qu'il n'arrivera rien, même si l'information est perdue. Ces malades sont souvent très récalcitrants à jeter des pelures de patates ou une vieille chaise brisée et irréparable. Avec un peu d'encouragement, le sujet en vient à jeter plusieurs objets, à faire plus de place dans la maison et à apprendre à recevoir les visiteurs dans un climat plus agréable.

Les chances d'amélioration sont bonnes lorsque les malades suivent bien les instructions se rapportant à la « contamination » et à l'arrêt des vérifications. Par exemple, un chômeur depuis plusieurs années passait la majeure partie de sa journée à se laver. Au cours du traitement, le thérapeute l'amena à toucher à des articles qu'il avait d'abord lui-même manipulés; avant son départ de l'hôpital, il toucha à de l'urine et à des excréments, ce qu'il craignait particulièrement. L'amélioration fut énorme. Deux ans après le traitement, sa mère nous écrivit une lettre de remerciements; marié depuis peu, il s'était acheté une maison. Le couple s'arrangeait bien, le malade jardinait et faisait différents travaux manuels. Comme vous l'avez constaté, le traitement de la névrose obsessionnelle n'est pas facile, mais les résultats durables en valent la peine.

Anxiété reliée aux menstruations et à la ménopause

Le début des menstruations ne cause maintenant presque plus de problèmes. Cependant, l'apparition soudaine du flux menstruel peut provoquer de grandes inquiétudes chez les jeunes filles ignorantes en sexualité et en physiologie. La meilleure approche consiste à leur expliquer la signification du cycle menstruel et à leur donner des conseils sur l'utilisation de serviettes ou de tampons hygiéniques.

La tension prémenstruelle

Plusieurs femmes deviennent irritables et légèrement déprimées au cours de la semaine qui précède les menstruations de même que durant les premiers jours des règles sans qu'il y ait rapport direct avec les douleurs menstruelles. Quelques jours avant les menstruations, les femmes se plaignent souvent de sensibilité et de gonflement des seins et elles présentent des enflures aux mains et aux pieds. A cause de ce phénomène, elles peuvent prendre quelques livres de poids. Des chercheurs rapportent que les femmes ont plus d'accidents et de mésaventures au cours des menstruations et que le taux de suicide est plus élevé à ce moment du cycle.

Même si la tension prémenstruelle est un phénomène habituel, les scientifiques connaissent peu ses causes ou son traitement. Nous ne savons pas jusqu'à quel point elle est due à des changements hormonaux ou provoquée par l'inquiétude de la menstruation elle-même. Certains travaux suggèrent l'administration de pilules anticonceptionnelles contenant une combinaison d'œstrogènes et de progestérone pour diminuer la tension prémenstruelle.

La ménopause

Le cycle menstruel cesse chez les femmes au milieu de leur vie; c'est la ménopause. Les gens commencent maintenant à réaliser qu'elle ne cause pas d'anxiété particulière et qu'elle a été injustement blâmée pour une multitude de maladies dont « la dépression de la ménopause ». Les chaleurs du retour d'âge occasionnent des inconvénients, mais elles ne sont responsables d'aucun problème psychiatrique. Un traitement hormonal aux œstrogènes peut aider à corriger certains changements physiques secondaires à la ménopause, comme la sécheresse de la paroi vaginale qui provoque souvent des douleurs au cours des relations sexuelles.

Anxiété sexuelle

Les inquiétudes sexuelles demeurent les problèmes les plus courants chez les adolescents et les jeunes adultes. Ils sont d'autant plus ennuyeux que les gens ont souvent honte d'en parler et encore plus de consulter pour avoir des conseils. Dans le passé, les questions sexuelles étaient tellement taboues que plusieurs malheureux n'ont jamais cherché l'aide dont ils avaient besoin; par chance, l'attitude de la société change graduellement et les consultations se font plus fréquentes.

Il n'y a pas si longtemps, s'adonner à une activité aussi normale que la masturbation consistait à commettre un péché et à prendre le risque de développer des maladies hideuses, allant des maladies vénériennes à la folie. La culpabilité a donc causé de nombreuses heures de souffrance à quatre-vingt-dix-neuf pour cent des garçons qui se masturbent à un certain moment de leur vie. Grâce à une plus grande diffusion de l'information sur le comportement sexuel normal, ce phénomène ne représente plus une source importante de tracas. Cependant, certains adolescents croient encore que leur acné résulte de leur pratique auto-érotique et que leur habitude peut se lire sur le visage. La culpabilité est reliée non seulement à la masturbation, mais également à d'autres comportements sexuels; elle torture ceux qui ont été élevés dans un climat familial et scolaire restrictif face à la sexualité. Les jeunes filles qui se laissent aller à des jeux sexuels ou qui ont des relations prémaritales peuvent parfois être déprimées, même encore de nos jours et être bouleversées par une expérience sexuelle absolument normale. Les adolescents, garçons et filles, manquent souvent de confiance pour approcher l'autre sexe; leur embarras est particulièrement marqué dans des situations potentiellement sexuelles comme au cours d'une soirée ou lors d'une sortie. De toute façon, la plupart des gens surmontent leurs difficultés sexuelles par un mécanisme d'essais et d'erreurs et par des expériences plus ou moins réussies. C'est pourquoi presque tous ont une vie sexuelle relativement heureuse quand vient le temps du mariage. En effet, moins d'un pour cent des mariages ne sont pas consommés avec succès au cours de la première année.

Malgré ces faits, il arrive occasionnellement de rencontrer des couples qui n'ont jamais eu aucune relation sexuelle complète après plusieurs années de mariage. Ainsi, un de ces couples s'adonnait fréquemment à des intimités sexuelles allant jusqu'à l'orgasme avant le mariage. Au cours de leurs dix années de vie conjugale, ils continuèrent à se masturber l'un l'autre environ trois fois par semaine, l'époux avait une érection normale, mais sa femme le repoussait chaque fois qu'il essayait de la pénétrer. Il pouvait lui prendre les seins et toucher ses organes génitaux, mais elle refusait de mettre la main sur son pénis et de se promener nue devant lui. A peine pouvait-il la regarder prendre un bain.

Un autre jeune couple n'avait eu aucune relation sexuelle pendant leurs trois années de mariage. Enfant, l'épouse avait souffert d'un abcès très douloureux au niveau des organes génitaux et, à l'âge de dix-neuf ans, elle avait été violée par un homme qui avait souvent abusé d'elle en lui faisant du chantage. Ces souvenirs désagréables l'empêchèrent d'avoir des relations sexuelles normales avec son mari; les caresses génitales mutuelles demeuraient leur seule activité pour parvenir à l'orgasme. Son mari pouvait toucher la vulve sans problème avec son pénis, mais dès qu'il essayait de la pénétrer, elle présentait des contractions douloureuses rendant le coït impossible.

Beaucoup plus souvent, certaines femmes se plaignent de relations sexuelles très douloureuses à cause de la contraction des muscles pelviens; cette condition s'appelle « le vaginisme » qui signifie un spasme du muscle constricteur du vagin. Enfin, dans l'anorgasmie, la femme n'atteint pas l'orgasme malgré le plaisir d'être pénétrée et de se sentir relaxée.

Chez l'homme, les problèmes sexuels prennent aussi différentes formes. Même si la libération des femmes a un peu changé le climat, on s'attend encore à ce que les hommes prennent l'initiative sexuelle. La gent masculine a encore beaucoup à apprendre pour améliorer son comportement avec le sexe opposé: comment parler à une fille, lui proposer une sortie et l'approcher sexuellement de façon acceptable. Après avoir réussi toutes ces étapes, il doit avoir une érection suffisante pour pouvoir faire l'amour. La peur et la tension peuvent suffire à bloquer l'érection. L'exemple typique vient de ce jeune homme de dix-neuf ans qui se plaignait de n'avoir jamais eu de relations sexuelles parce qu'il se sentait très anxieux en présence des filles. Les filles le trouvaient pourtant attrayant, mais il devenait tendu à la moindre approche vraiment sexuelle et cessait alors la relation. L'érection survenait lorsqu'il embrassait une fille et il se masturbait souvent en pensant aux femmes.

L'absence d'érection ou une érection insuffisante pour l'accomplissement du coït s'appelle l'impuissance. Cette condition découle de la fatigue, de l'ingestion de certains médicaments ou de l'anxiété. Les échecs de la lune de miel résultent souvent de ces facteurs, mais la pratique corrige la situation. L'alcool en grande quantité nuit également à l'exécution de l'acte. Shakespeare le savait quand il a écrit que l'alcool provoquait le désir, mais diminuait la faculté. Le terme « l'affaissement du buveur » décrit clairement le tableau. Plus rarement, certaines maladies physiques comme le diabète, des maladies du cerveau ou de la moelle épinière et des insuffisances des glandes endocrines (la thyroïde, le foie) entraînent de l'impuissance. Enfin, certaines personnes atteintes de déviation sexuelle peuvent souffrir d'une absence d'érection ou d'une érection insuffisante. Un homosexuel peut être excité par les hommes et non par les femmes; plusieurs déviants sexuels sont cependant capables de relations hétérosexuelles normales.

Le problème le plus fréquent reste l'éjaculation précoce, c'est-à-dire lorsqu'un homme éjacule trop rapidement, ne pouvant retenir l'émission de sperme jusqu'à la satisfaction de sa partenaire. Cette condition s'associe souvent à des troubles de l'érection; le sujet peut ne présenter qu'une brève érection et éjaculer subitement contre son gré. L'absence d'éjaculation est le contraire de l'éjaculation précoce. Dans ce cas, le malade garde une érection pendant des heures, mais il est incapable d'atteindre l'orgasme avec éjaculation; sa partenaire peut avoir plusieurs orgasmes pendant ce temps.

A première vue, nous pouvons penser que bien faire l'amour consiste simplement à agir naturellement. En fait, c'est un ensemble compliqué d'habitudes à apprendre; il ne faut donc pas se surprendre de nos échecs au début. Par contre, un partenaire expérimenté peut aider grandement. Un jeune homme demanda de l'aide psychiatrique parce qu'il n'obtenait pas une érection suffisante ni avec ses amies ni avec des prostituées, même s'il se masturbait régulièrement. Dans la salle d'attente du psychiatre, il rencontra une fille de cinq ans son aînée qui avait beaucoup d'expérience au point de vue sexuel. Connaissant son problème, elle l'amena avec patience et par petites étapes successives de plus en plus près d'une relation sexuelle complète sans lui pousser dans le dos ou rire de lui. Grâce à l'aide de cette femme, ce patient mena une vie sexuelle normale en moins de quelques semaines.

Il y a quelques années, des informations valables sur la sexualité étaient quasi inaccessibles au grand public. Le nombre sans cesse grandissant d'excellents livres qui contiennent des dessins sans équivoque de même que des films qui décrivent la sexualité normale aident sûrement à corriger cette déficience.

Malgré ces améliorations, le comportement sexuel a beaucoup moins changé que les média d'information tendent à nous le faire croire. Dans une étude, le comportement sexuel de jeunes étudiants allemands se différenciait peu de celui de leurs aînés; ils avaient des relations sexuelles une ou deux années plus tôt et étaient un peu plus tolérants lorsque leurs partenaires entretenaient des relations avec d'autres personnes. Le comportement sexuel dominant demeure néanmoins « la monogamie romantique », c'est-à-dire des sorties régulières entre un garçon et une fille en vue d'un mariage éventuel. Les journaux ont fait grand éclat des relations sexuelles collectives ou entre couples, ce que les Américains appellent le *wife-swapping*, mais une enquête récente faite en Allemagne a démontré que seule une petite minorité de gens avait expérimenté ces pratiques. Des relations sexuelles relativement stables entre partenaires également stables constituent la norme habituelle même à notre époque permissive. Il faut quand même noter que, de nos jours, peu de femmes sont encore vierges à l'époque du mariage, et les pratiques sexuelles orales sont davantage pratiquées chez les jeunes adultes. La pornographie, centre d'intérêt de la censure dans différents pays, devient ennuyeuse à la longue pour la plupart des gens.

Il est parfois difficile de savoir si le problème d'un couple provient de difficultés sexuelles ou s'il ne résulte pas du fait de se taper mutuellement sur les nerfs. Une femme qui n'avait plus aucune activité sexuelle avec son mari arriva subitement dans mon bureau et m'annonça: « Vous êtes le roi des phobies. Eh bien, j'ai la phobie de porter des vêtements serrés en présence de mon mari. » Son histoire démontrait clairement son incapacité à s'entendre avec son mari, ce qui n'avait rien à faire avec sa phobie ou avec les relations sexuelles.

Avant de passer au traitement des divers problèmes sexuels, parlons un peu de la jalousie qui peut complètement ruiner une vie. Othello et Desdémone en sont des modèles tragiques. La jalousie morbide se rencontre plus chez les hommes que chez les femmes et, dans sa forme extrême, elle peut conduire au meurtre. L'alcoolisme, ou l'impuissance, complète souvent le tableau. Elle se présente de façon plus typique chez ce couple en instance de divorce parce que le mari s'imagine sans raison que sa femme lui est infidèle. Les deux partenaires niaient toute infidélité et le couple faisait l'amour régulièrement, mais la jalousie de l'époux était à l'origine de querelles interminables.

Dans certains pays, la loi ne punit pas sévèrement les crimes passionnels où le partenaire est pris en flagrant délit. Dans notre monde dirigé par les mâles, un homme a donc plus de chance de tuer sa femme que le contraire ne se produise; cela révèle le double sens de la moralité encore présent dans plusieurs pays où l'homme a la liberté d'avoir plusieurs maîtresses alors que la femme ne peut pas prendre un amant ouvertement.

Traitement de l'anxiété sexuelle

Nous avons la chance de vivre à une époque où les problèmes sexuels sont compris et traités beaucoup mieux et plus ouvertement que dans le passé. Les peurs sexuelles se soignent de la même façon que les autres types d'anxiété, mais rappelons-nous encore qu'une vie sexuelle bien remplie est une habitude qui s'acquiert graduellement et non sans peine. Un garçon qui croit que les filles rient de lui et une jeune fille qui refuse un rendez-vous parce qu'elle se sent gauche, doivent tous deux apprendre à faire face à la situation. Un timide devra s'exercer à parler aux jeunes filles, au restaurant et au travail, à leur raconter des histoires, à faire du coq-à-l'âne, à leur offrir un café, à les inviter pour une promenade, etc. Lorsqu'il se sent à l'aise dans une situation particulière, il peut alors passer à une étape plus difficile.

Un programme de rééducation sexuelle permettra aux couples dont la performance est fautive d'acquérir les aptitudes nécessaires à une sexualité épanouie. En clinique, on encourage d'abord le couple à raconter ses difficultés en détails et à développer un vocabulaire qui rendra les conjoints capables de parler de leurs sentiments et de leurs activités sexuelles. Les deux partenaires doivent connaître les mots utilisés pour décrire les organes génitaux et les divers aspects de la relation sexuelle. Le stade suivant, appelé sensibilisation sensorielle, consiste à s'habituer à toucher son propre corps de même que le corps de son conjoint. Le couple se garde alors au moins quinze minutes chaque soir pour se caresser, complètement nus, et apprendre à se donner mutuellement du plaisir sans se toucher les seins ou les organes génitaux; chaque partenaire doit bien comprendre que ces exercices ne conduisent pas au coït. D'ailleurs, toute relation sexuelle complète est formellement défendue pendant cette phase de l'entraînement.

Certains thérapeutes demandent à chacun des conjoints de regarder le corps et les organes génitaux de l'autre d'abord à la clinique pour apprendre à vaincre leur pudiponderie et bénéficier d'une information exacte. S'étendre nu avec une autre personne crée beaucoup d'anxiété au début. Ayant demandé à un couple de faire cet exercice, ma secrétaire me remit le message suivant le lendemain matin: « Dites à docteur Marks que j'ai fait ce qu'il m'a demandé; je le tuerais pour cela, mais dites-lui que je l'ai fait. » J'avais simplement demandé aux deux conjoints de dormir nus, ensemble. Après avoir fait cet exercice pendant une semaine, cette femme ne manifestait plus aucun scrupule à ce sujet et elle acceptait les caresses mutuelles. En moins de six semaines, ce couple parvenait à faire l'amour régulièrement pour la première fois depuis le début de leur mariage qui datait déjà de trois ans.

Lorsque les conjoints réussissent à se caresser mutuellement sans aucune anxiété, les étapes conduisant aux relations sexuelles complètes peuvent alors commencer. Lorsque l'homme présente un problème d'érection, on enseigne à la partenaire à caresser le pénis jusqu'à ce qu'il devienne graduellement en érection; à ce stade, elle l'insère lentement à l'intérieur du vagin. Si l'érection tombe, elle masturbe à nouveau son partenaire et tente une seconde pénétration. Cette procédure est répétée jusqu'à ce que l'homme puisse tolérer de demeurer en érection à l'intérieur du vagin pour une période d'environ quinze minutes; à ce moment, la partenaire commence à faire des mouvements pour atteindre l'orgasme au cours de la relation sexuelle. L'homme et la femme apprennent donc une technique compliquée, communiquent davantage entre eux et échangent leurs émotions.

La méthode de traitement diffère légèrement quand l'homme souffre d'éjaculation précoce. Dans ce cas, l'épouse caresse le pénis de son mari jusqu'à l'obtention d'une érection et elle continue cette stimulation jusqu'à ce qu'il ressente l'imminence de l'éjaculation. A ce point, elle cesse la masturbation et presse fermement le gland, c'est-à-dire la protubérance à l'extrémité du pénis, entre son pouce et ses deux premiers doigts; cette technique bloque l'éjaculation. Le sujet averti sa partenaire de la disparition de son envie d'éjaculer et celle-ci recommence alors la même manœuvre. Cette alternance de masturbation et de compression continue jusqu'à ce que l'homme puisse garder une érection soutenue pendant quinze minutes sans danger d'éjaculation. A ce stade, l'épouse insère le pénis dans son vagin. Si le conjoint sent que l'éjaculation est prête à survenir, il le rapporte immédiatement à sa partenaire qui se retire jusqu'à ce que le désir soit passé; la technique complète est à nouveau répétée.

Le couple doit travailler régulièrement et à son propre rythme pour atteindre le but fixé; il importe que les conjoints se sentent libres d'expérimenter leurs sensations à mesure qu'ils apprennent à contrôler leurs aptitudes sexuelles. J'ai été très surpris avec un couple dont le mari souffrait d'éjaculation précoce. Les époux avaient écouté attentivement les grandes lignes du programme de traitement, au cours de la première séance. A la seconde séance, l'épouse se plaignit de sa difficulté à stimuler le pénis pendant quinze minutes. Quand je lui demandai des détails, j'appris qu'elle le stimulait avec sa bouche et non avec sa main; elle avait d'ailleurs régulièrement pratiqué la masturbation orale dans le passé malgré le problème de son mari. Après quelques séances, le mari réussissait à maintenir l'érection pendant quinze minutes, autant à l'extérieur qu'à l'intérieur du vagin. A ce point, l'épouse devint un peu excédée par le traitement et nous avons dû trouver des moyens pour conserver son intérêt à la suite de l'amélioration de son mari.

Un problème beaucoup moins fréquent chez l'homme est l'absence d'éjaculation; le sujet peut maintenir une érection pendant des heures, mais est incapable d'atteindre l'orgasme avec éjaculation. Le programme thérapeutique débute par les caresses habituelles avec défense formelle d'avoir des relations sexuelles. La femme stimule vigoureusement le pénis avec ses mains jusqu'à ce que son partenaire atteigne l'éjaculation par la masturbation. Lorsque l'éjaculation est survenue et que l'homme a appris à ressentir les sensations d'une éjaculation imminente, l'épouse peut alors procéder à l'intromission du pénis dans le vagin. Cette technique vise à maintenir l'éjaculation intravaginale.

Certains hommes pensent qu'ils sont impuissants parce qu'ils échouent à quelques reprises ou souffrent d'une déviation sexuelle. Un pasteur d'une cinquantaine d'années vint me voir avec son épouse. Le couple se plaignait de l'échec de leurs relations sexuelles au cours de leurs quatre années de mariage. Il en ressortit que le pasteur était attiré par les petits garçons depuis plusieurs années et qu'il avait régulièrement masturbé des garçons alors qu'il vivait à l'étranger. Cependant, sa déviation ne s'était pas manifestée depuis que le couple était revenu en Angleterre un an plus tôt. Au cours de sa lune de miel, à trois reprises successives, le mari fut incapable d'obtenir une érection. Découragé, le couple n'a jamais essayé par la suite.

Le traitement de ce couple fut facile. Je leur fis remarquer que plusieurs couples échouent au cours des premiers essais sexuels et, comme ils n'avait fait aucune tentative pendant plus de quatre ans, je croyais qu'il valait la peine d'essayer à nouveau. Je leur demandai d'abord de dormir nus, ensemble, ce qui leur fut facile. Après la seconde séance, les conjoints commencèrent à se caresser mutuellement à la maison, sans tentative de relation sexuelle, même s'ils en avaient envie. A partir de la troisième séance, il leur fut permis d'avoir des relations sexuelles selon leur désir. A la quatrième séance, quelques semaines plus tard, ils faisaient l'amour normalement et régulièrement; ils retiraient également beaucoup de plaisir de leur vie sexuelle. L'épouse devint enceinte et les fantaisies du pasteur pour les garçons étaient complètement disparues. A ma grande surprise, quelques mois plus tard, un autre pasteur impuissant me consulta; il m'était référé par ce couple.

Lorsque le problème relève de la femme, la tactique est différente. Dans les cas de spasme vaginal (vaginisme), lorsque la patiente est habituée à la sensibilisation sensorielle, c'est-à-dire l'entraînement aux caresses mutuelles, nous lui demandons de mettre d'abord le bout de son petit doigt à l'intérieur de sa vulve et de son vagin. Cette étape franchie, elle introduit complètement un doigt, puis deux doigts. Lorsqu'elle réussit à faire cet exercice sans inconvénient, elle demande à son mari d'entrer lentement son doigt dans son vagin et elle s'habitue à cette présence étrangère. L'utilisation de petites bougies de métal de différentes grandeurs peut aussi aider la malade. Le pénis remplace graduellement le doigt pour en arriver à la relation sexuelle complète.

Le traitement de l'anorgasmie (absence d'orgasme) porte surtout sur l'entraînement à bouger plus vigoureusement au cours de la relation sexuelle pour augmenter la stimulation et à enseigner des techniques d'approche sexuelle. Il demeure utile de montrer d'abord à la malade à se masturber elle-même avec ses mains pour atteindre l'orgasme avant d'en arriver au coït.

Une épouse encore vierge après dix ans de mariage

Il est assez fréquent de retrouver des difficultés sexuelles chez les deux partenaires; c'était le cas de Jill et de son mari Jack. Jill est cette femme de quarante ans dont j'ai déjà rapporté le traitement de l'agoraphobie; sont époux était de six ans son aîné. Ce couple n'avait jamais eu de relation sexuelle au cours de leurs dix années de mariage. Une partie du problème résultait du vaginisme de Jill et de l'éjaculation précoce de Jack. Aucun des deux partenaires n'avait eu des expériences sexuelles avant le mariage. Après le mariage, ils firent plusieurs tentatives infructueuses et cinq ans plus tard, une annulation de mariage fut prononcée pour non-consommation. Ils se remarièrent par la suite car les problèmes sexuels avaient persisté de part et d'autre. Ils demandèrent éventuellement de l'aide parce qu'ils voulaient avoir un enfant.

Le couple fut d'abord interviewé conjointement pour établir un portrait détaillé de leur comportement sexuel; cet entretien servit à les rapprocher l'un de l'autre. Ils se masturbaient mutuellement environ tous les cinq soirs; Jack éjaculait, mais Jill n'atteignait jamais l'orgasme. Le thérapeute leur demanda d'accomplir certaines tâches avant la séance suivante. Ils devaient se caresser l'un l'autre et se toucher les organes génitaux durant quinze minutes chaque jour pendant trois jours, mais les relations sexuelles leurs étaient complètement défendues. A la troisième séance, deux semaines plus tard, le couple rapporta une augmentation de l'intérêt sexuel de même qu'une diminution de l'anxiété lors de la sensibilisation sensorielle. Jack se sentait très content et relaxé; Jill avait aimé la sensibilisation sensorielle et elle était beaucoup plus calme. Elle avait même permis à Jack d'insérer un doigt dans son vagin ce qui lui causa un léger malaise, mais aussi beaucoup de plaisir. Le thérapeute les persuada de prolonger la sensibilisation sensorielle de quinze à trente minutes et d'acheter un lubrifiant vaginal. Ce moyen permettait d'augmenter l'exploration vaginale; Jill devait d'abord introduire ses doigts et laisser Jack faire la même chose par la suite. Pour ne pas aller trop vite, les relations sexuelles étaient toujours proscrites, mais la masturbation mutuelle leur fut alors permise.

Les progrès ralentirent au cours de la semaine car, à la quatrième séance, les conjoints rapportèrent n'avoir pratiqué qu'une seule fois la technique d'insertion des doigts. Le thérapeute les encouragea à continuer: « Il n'y a rien d'urgent, vous aurez de bonnes et de mauvaises semaines, mais avec de la persistance vous réussirez à surmonter vos problèmes. » Deux semaines plus tard, ils revinrent plus satisfaits. Le lubrifiant avait rendu le tout beaucoup plus facile et plus excitant. Jack avait réussi à introduire son pénis environ un pouce à l'intérieur du vagin et à éjaculer à l'intérieur de Jill. Ils avaient continué les exercices de sensibilisation sensorielle de même que l'insertion de leurs doigts pour étirer le vagin de Jill. Leurs nouvelles tâches comprenaient des caresses plus actives et la dilatation du vagin à l'aide de bougies de verre. Jack devait tenter de pénétrer son épouse plus profondément et plus longtemps, mais il ne devait pas bouger au cours des relations sexuelles. A la longue, Jack put pénétrer Jill complètement, mais il avait encore tendance à éjaculer un peu trop rapidement. Les deux partenaires appréciaient leurs relations sexuelles et se sentaient très confiants. Ni l'un ni l'autre ne montrait de grands désirs sexuels et leurs ébats amoureux survenaient au rythme d'environ une fois par semaine. Après la septième séance, les deux partenaires décidèrent d'arrêter le traitement, satisfaits de leurs progrès. Revus six mois plus tard, l'amélioration persistait et ils avaient encore des relations sexuelles satisfaisantes une fois par semaine. Le problème du spasme vaginal était disparu.

Les principaux principes du traitement sont les suivants: le couple doit être bien informé des questions sexuelles; chaque conjoint doit apprendre à discuter avec l'autre de façon détendue et à caresser le corps de l'autre sans crainte et sans honte. Enfin, les deux partenaires doivent graduellement expérimenter différentes techniques jusqu'à ce qu'ils atteignent un compromis raisonnable leur permettant d'atteindre l'orgasme. La pratique de nombreux exercices est nécessaire avant que le succès ne se fasse sentir et les visites régulières chez le thérapeute facilitent les résultats; la lecture d'ouvrages sur le sujet et le visionnement de films appropriés demeurent également utiles. Il s'agit donc de vaincre les tabous traditionnels et de lever le voile du silence sur la sexualité. Il est étonnant de constater que certaines personnes très intelligentes ignorent même les principes de base de la vie sexuelle; comment peut-on alors réussir dans un domaine qui nous est inconnu?

IV Revue générale du traitement de l'anxiété

Il nous faut comprendre que l'anxiété s'avère parfaitement normale à certains moments. En effet, l'anxiété et la peur nous poussent à affronter les problèmes qui causent de la tension. La menace d'une maladie sérieuse, la perte d'un emploi, les échecs à des examens importants, les querelles avec le conjoint ou les disputes avec les enfants, nous rendent tous malheureux. Nous pouvons rencontrer des difficultés financières et notre carrière peut en être affectée. En fait, nos problèmes ne cessent qu'après la mort. Pour vivre dans un monde de difficultés quotidiennes, nous devons tous apprendre à surmonter le stress et à régler les problèmes qui en découlent. Il y a un brin de vérité dans ce dicton: « Ce n'est pas ce qui vous arrive qui est important, c'est votre façon d'y faire face. »

La capacité de parler de son anxiété et de demander de l'aide aux parents et aux amis demeurent les deux facteurs les plus importants dans la lutte contre le stress. Confier ses peurs à quelqu'un peut déjà nous faciliter la tâche. Raconter calmement ses problèmes à un auditeur attentif nous donne la possibilité de les voir différemment et même de les solutionner à l'occasion.

La mort est probablement la situation qui crée le plus d'anxiété. Nous associons souvent le succès d'un traitement à l'amélioration qui en découle, mais les soins aux mourants assument l'inévitable et se limitent à l'apaisement de la douleur. Plusieurs centres reconnaissent la nécessité de soins spéciaux pour diminuer la douleur des moribonds. On peut aider ces derniers à accepter leur état calmement, même si cela prend beaucoup de temps. Une dame âgée avait vu mourir six de ses compagnes. Questionnée sur la signification de ces jours de douleurs, elle réfléchit un moment et dit: « Oui, je crois que j'ai eu une approche qui a soulagé mes amies. » Avec une bonne préparation, il est donc possible de mourir en paix et en dignité malgré la douleur.

La peine provoquée par la perte d'un être aimé nous incite à « travailler » nos sentiments. Nous devons parler de la signification de cette perte, remémorer nos habitudes avec l'être cher et être capables de pleurer sans honte. Chez certains peuples, les gens doivent nécessairement pleurer lors du deuil d'un parent, et une période qui comporte un rituel de pleurs aide la famille à supporter la perte de l'être aimé. Ailleurs, la famille doit crier et manifester ouvertement sa douleur. Pour passer à travers une réaction de deuil, il ne faut pas seulement se pencher sur le passé, mais explorer de nouvelles façons de vivre dans l'avenir et remplacer la perte subie par des relations et des activités nouvelles.

Education des enfants

Les enfants doivent apprendre à expérimenter l'anxiété, à affronter les difficultés et à contrôler des situations terrifiantes. Une attitude courageuse s'inculque plus facilement chez un enfant brave de nature que chez un enfant timide; nous devons accepter que certains enfants soient inévitablement plus braves que d'autres. L'exemple des parents demeure important pour l'enfant car celui-ci modèlera son comportement sur leurs habitudes. Si l'enfant s'aperçoit que ses parents sont toujours prêts à maîtriser des situations terrifiantes, il pourra lui-même le faire. Il faut cependant limiter nos demandes aux capacités de l'enfant; le contact avec une personne trop courageuse peut lui nuire et renforcer sa conviction de lâcheté. Un enfant suffisamment confiant doit être encouragé à faire face à des situations relativement terrifiantes pour apprendre à maîtriser sa peur. A ce moment, il aura besoin d'être supporté jusqu'à ce que la peur soit vaincue complètement. La maladie, la fatigue ou la dépression affectent le seuil de la peur chez les enfants comme chez les adultes. Toute tentative faite à ce moment peut augmenter la peur plutôt que la diminuer.

Une petite anecdote illustre bien à quel point la peur comme telle est moins importante que notre façon d'y réagir. Au cours de la Première Guerre mondiale, un médecin juif de l'armée autrichienne était assis auprès d'un colonel lorsque la fusillade débuta. En blaguant, le colonel dit: « Encore une preuve que la race aryenne est supérieure à la race juive! Vous avez peur, n'est-ce pas? » « Bien sûr, j'ai peur, répondit le médecin. Mais qui est vraiment supérieur? Si vous aviez peur comme moi, mon cher colonel, vous vous seriez sauvé depuis longtemps. »

A titre d'exemple sur la façon d'enseigner aux enfants à faire face à leur anxiété, voyons comment une tribu malaise explique à un enfant un rêve rempli de tension. Quand un bambin raconte qu'il tombait de très haut dans son rêve, les adultes répondent avec enthousiasme: « C'est un rêve magnifique, un des rêves les plus intéressants qu'un homme puisse avoir. Où es-tu tombé et qu'as-tu découvert? » Les mêmes commentaires accompagnent la narration de rêves où l'enfant grimpe, voyage, vole ou plane. L'enfant répond alors comme il le ferait dans notre société; il dit qu'il n'a pas trouvé son rêve si extraordinaire, qu'il était terrifié et qu'il s'est éveillé avant de tomber. « C'est une erreur, répliquent les adultes. Tout ce que tu fais dans un rêve a un but. Tu dois te détendre et te sentir bien, lorsque tu tombes au cours d'un rêve. Tomber est la façon la plus rapide pour entrer en contact avec le pouvoir des esprits; ces pouvoirs te sont vraiment ouverts dans ton rêve. Ne l'oublie pas quand tu feras de nouveau un tel rêve; tu ressentiras que tu voyages jusqu'à la source du pouvoir. Les esprits t'aiment, ils t'attirent vers la terre, mais tu dois être détendu et continuer à dormir pour les rencontrer. Lorsque tu les rencontreras, tu seras effrayé par leurs pouvoirs terrifiants, mais continue quand même. Si tu crois mourir dans un rêve, tu vois seulement les pouvoirs d'un autre monde; ton propre pouvoir spirituel s'est retourné contre toi, lui qui désire s'unir à toi. »

Par cette approche, le rêve dans lequel se manifestait une peur de tomber se modifiait avec le temps en une joie de voler. Cette tribu enseigne également que celui qui rêve doit toujours avancer et attaquer. Les personnages rencontrés dans les rêves s'avèrent mauvais quand on en a peur et quand on refuse de les affronter.

Développement des phobies

A la suite d'un accident, il y a souvent une phase de latence qui précède le développement d'une phobie. Si, durant cette phase, la personne est immédiatement exposée de nouveau à la situation originale, cette exposition la protège contre le développement de la peur. Depuis longtemps, il est admis que les gens devraient expérimenter de nouveau une situation traumatique immédiatement après le traumatisme original. Les pilotes d'avion sont encouragés à voler de nouveau le plus tôt possible à la suite d'un accident; les automobilistes doivent se remettre à conduire aussitôt qu'ils le peuvent après un tel événement. Si quelqu'un tombe à bas d'un cheval, il doit remonter immédiatement.

Les gens peuvent être aidés à surmonter les phobies légères si on les rassure par la suggestion; de nombreux trucs ont été utilisés avec succès pour encourager le sujet à faire face à une situation. Un médecin avait gagé $1 000 avec un malade que celui-ci ne mourrait pas d'une attaque cardiaque s'il sortait de chez lui; le malade sortit sans inconvénient pour la première fois depuis des mois. Des acteurs soudainement atteints de trac ont réussi à le surmonter en se répétant constamment des messages rassurants écrits par leur médecin sur un morceau de papier.

En général, lorsqu'une personne a évité une situation terrifiante à un moment donné, elle tendra à l'esquiver chaque fois que la même situation se présentera à nouveau; c'est ainsi qu'une phobie se développe graduellement. Il est mieux de risquer et de faire face à des situations légèrement terrifiantes plutôt que de développer une phobie. Il s'avère parfois difficile d'évaluer la mesure exacte chez des enfants atteints de maladies chroniques. D'une part, il ne faut pas pousser un garçon cardiaque au-delà des limites physiques, mais, d'autre part, il ne faut pas en faire un invalide à cause de son anxiété. Moins un enfant doit subir de restrictions, moins il développera des anxiétés hypochondriaques dans le courant de sa vie.

Les simples exhaltations à la bravoure et la volonté seule n'aident pas le phobique qui évite de façon persistante l'objet de sa peur. Les phobiques peuvent aggraver leur condition s'ils abordent des situations impossibles et qu'ils se sauvent. L'anxiété marquée de même que les phobies sévères nécessitent une aide médicale ou psychologique.

Traitement de l'anxiété et des peurs

Il existe plusieurs techniques pour aider à soulager les phobies et l'anxiété. Les membres d'un club d'agoraphobes rapportèrent quels traitements ils avaient reçus; leurs réponses incluaient des médicaments, la psychanalyse, la narcoanalyse, la thérapie de groupe et d'autres thérapies incluant la thérapie de milieu, la lobotomie, le LSD (l'acide lysergique), l'hypnose, l'autosuggestion, les électrochocs, la relaxation, le yoga, l'acupuncture, la thérapie comportementale, des cours de correspondance en psychologie, l'homéopathie, la naturopathie et ainsi de suite.

De façon générale, il y a trois classes de traitement pour l'anxiété sévère et les peurs. Ce sont les méthodes psychologiques, les médicaments et la chirurgie.

Traitements psychologiques

Nous avons déjà vu qu'au cours des moments de stress et de conflit, il est très utile de pouvoir discuter de ses difficultés avec quelqu'un en qui nous avons confiance. Parfois, une entrevue avec les membres de différentes professions spécialement entraînés pour aider les gens s'avère opportune: psychiatres, psychologues, travailleurs sociaux, infirmières, agents de probation et prêtres. Le recours à ces professionnels peut s'avérer très utile pour plusieurs. Certains spécialistes utilisent des techniques assez sophistiquées.

La psychothérapie de support peut suffire à de nombreux anxieux. Chez d'autres cependant, la maîtrise de la tension exige des méthodes plus spécifiques. Quelle que soit la méthode employée pour vaincre l'anxiété, il est important de savoir qu'il nous appartient d'apprendre à vivre avec elle. Le thérapeute n'abolit pas l'anxiété par magie, mais il enseigne les bases nécessaires pour soulager la détresse du malade. Cet apprentissage peut être agréable et intéressant même s'il n'amène pas un soulagement soudain ou miraculeux. Une telle attente conduirait inévitablement au désappointement et au découragement. L'amélioration se manifeste graduellement et parfois d'une façon à peine perceptible; ce n'est bien souvent qu'en effectuant une rétrospective que la personne constate le progrès réalisé.

Nous devons également distinguer les problèmes surmontables des problèmes invincibles. Parfois nous en sommes réduits à en tirer le mieux possible. Incapable de divorcer, l'épouse d'un alcoolique agressif devra peut-être se trouver un emploi; elle sortira de la maison et gagnera l'argent que son mari lui refuse. Grâce à cette sécurité, elle pourra éventuellement envisager la séparation.

Les méthodes de relaxation

Chez certaines personnes, l'entraînement à des exercices de relaxation sert à diminuer l'anxiété au moins pendant un certain temps. Une des techniques consiste à ressentir nos propres sensations musculaires; par exemple, contracter le biceps de chaque bras, évaluer la tension, laisser le muscle se relâcher, le contracter et le relâcher de nouveau, et ainsi de suite. Le même exercice s'effectue ensuite avec les autres groupes musculaires jusqu'à ce que tous les muscles puissent se relaxer facilement et en même temps. Ces exercices de tension et de relaxation peuvent se pratiquer à la maison pendant quinze minutes, deux fois par jour. Au début, les exercices portent sur les muscles des bras et des jambes, pour passer par la suite aux muscles de la tête et du cou. Après avoir réussi à relaxer chaque groupe musculaire, le malade apprend alors à obtenir simultanément une relaxation de tous les muscles. Les indications d'une bonne relaxation comprennent une sensation de bien-être, un relâchement des muscles, une respiration régulière et la lourdeur des paupières.

Lorsqu'un thérapeute enseigne la relaxation à un malade, il emploie les phrases suivantes: « Etendez-vous très confortablement, relaxez de votre mieux... Maintenant, à mesure que vous vous relaxez, serrez votre poing droit, serrez votre poing droit de plus en plus fort et étudiez la tension. Gardez votre poing très serré et ressentez la tension dans votre poing droit, votre main et votre avant-bras... Maintenant relaxez-vous. Laissez vos doigts de votre main droite se relâcher et observez le contraste. Laissez vos muscles se relâcher complètement... A nouveau, serrez votre poing droit du plus fort que vous pouvez... Gardez-le serré et ressentez à nouveau la tension... Maintenant, laissez aller, relaxez-vous; laissez reposer vos doigts et notez la différence une fois de plus... Maintenant, répétez cet exercice avec votre poing gauche. Serrez votre poing gauche tout en relaxant le reste de votre corps; serrez votre poing plus fort et ressentez la tension... Relâchez-vous et notez la différence. Continuez à relaxer pendant un moment... Serrez vos deux poings de plus en plus fort, vos deux poings sont très tendus et vos avant-bras sont contractés. Etudiez les sensations... et relaxez-vous; étirez vos doigts et ressentez la relaxation dans les muscles des mains et des avant-bras. Continuez à relaxer vos mains et vos avant-bras de plus en plus... Maintenant, pliez vos coudes et contractez vos biceps... »

Une autre technique de relaxation s'appelle le « training autogène ». Cette méthode consiste à demander à la personne de visualiser une partie de son corps, de conserver cette image et de se relaxer. « Ayez une image claire de votre main droite, voyez le contour de vos doigts, la couleur de votre peau et de vos ongles, les rugosités de vos jointures. Pensez à relaxer votre main droite, en gardant cette image dans votre esprit tout le temps. Maintenant, essayez de visualiser votre avant-bras dans votre esprit... etc. » La méthode de relaxation importe peu, à condition que la personne se sente mentalement et musculairement relaxée.

En Orient, divers types de méditation ont été développés; cette forme de relaxation réussit chez des gens qui la pratiquent régulièrement. Certains types de méditation peuvent s'apprendre rapidement; c'est le cas de la méditation transcendantale où l'on demande au sujet de penser à un mot secret et de le garder continuellement à l'esprit pour éliminer toutes les autres pensées. D'autres méthodes incluent le yoga et la méditation Zen. Il faut des années pour maîtriser certaines de ces techniques, mais la sérénité qui en découle en vaut apparemment la peine. Malheureusement, nous ne connaissons pas l'efficacité thérapeutique de ces techniques chez les anxieux.

L'hypnose représente une autre méthode de relaxation. Quelle que soit la technique utilisée, une petite minorité de sujets présentent une bonne susceptibilité hypnotique; cette méthode facilite donc la relaxation chez ces personnes. Cependant, il demeure souvent très difficile d'hypnotiser des malades extrêmement anxieux.

Exposition à la situation provocatrice d'anxiété

Les méthodes de relaxation aident à diminuer l'anxiété flottante pendant un certain temps; les effets sont habituellement éphémères. Pour le soulagement des phobiés, d'autres techniques thérapeutiques sont requises. Elles portent différents noms, mais la plupart consistent à exposer la personne à la situation terrifiante jusqu'à ce qu'elle s'y habitue. Les techniques de désensibilisation amènent le malade à affronter la situation terrifiante de façon très lente et graduelle alors que les techniques d'immersion poussent le malade à affronter ses peurs de façon beaucoup plus rapide. L'exposition à la situation phobique s'accomplit en fantaisie, c'est-à-dire en imagination à l'aide de films ou de diapositives du stimulus phobique, ou encore dans la situation réelle, c'est-à-dire en pratique ou in vivo. En général, plus la personne s'approche rapidement de l'objet phobique et demeure en sa présence jusqu'à ce qu'elle se sente mieux, plus l'amélioration est rapide. L'amélioration se fait également à plus court terme lorsque le malade fait face à la situation réelle au lieu de l'imaginer. Les sujets craignent davantage l'exposition subite à des situations réelles, mais l'exposition in vivo demeure plus économique en temps pour le thérapeute et le malade. En fait, des phobiques traités par cette technique ont rapporté que cette expérience n'était pas plus désagréable qu'une visite chez le dentiste.

Dans la désensibilisation en fantaisie, le malade doit d'abord dresser une liste de toutes les situations effrayantes et les classifier par ordre décroissant. Il apprend alors une méthode de relaxation et s'imagine sous relaxation qu'il approche graduellement la situation phobique pendant quelques secondes. Il pense d'abord à des scènes faciles jusqu'à ce qu'il se sente confortable; des scènes plus difficiles lui sont présentées ensuite à plusieurs reprises, pour finalement arriver à imaginer les scènes les plus terrifiantes sans anxiété. Après chaque séance de désensibilisation en imagination, le malade doit pratiquer dans la réalité les scènes visualisées sans anxiété. A titre d'exemple, un malade atteint d'une phobie des oiseaux apprend d'abord à se relaxer. Une fois sous relaxation, il s'imagine en train de regarder un petit pigeon dans une cage située à une centaine de pieds de lui. Le sujet garde cette scène dans son esprit pendant quelques secondes puis cesse de penser à cette situation et se relaxe à nouveau. Si la présentation de cette scène n'a évoqué aucune anxiété, le malade s'imagine l'animal à quatre-vingt-dix pieds de lui, puis de plus en plus près jusqu'à ce qu'il soit capable de visualiser sans peur une scène où il tient un pigeon. Cette méthode s'apprend facilement, mais le contrôle de la peur peut prendre du temps à se manifester de façon tangible. Cette technique s'avère utile chez des gens souffrant d'une phobie spécifique sans anxiété flottante marquée. Ce traitement ne présente pas d'avantages particuliers pour l'anxiété flottante; enfin, la désensibilisation en imagination n'est pas d'un grand support chez les malades obsessionnels.

L'immersion caractérise une autre forme d'exposition. La désensibilisation se compare à une descente graduelle dans une piscine, à partir de l'endroit le moins profond; l'immersion équivaut à sauter directement à l'endroit le plus profond. L'immersion en imagination s'appelle souvent « l'implosion ». Par cette technique, le malade doit s'imaginer continuellement en présence des situations les plus terrifiantes pendant une à deux heures; le thérapeute décrit en détails les scènes phobiques que le sujet doit visualiser; le malade peut aussi élaborer ses propres scènes. Ainsi, une agoraphobe traitée par immersion en imagination s'imaginera qu'elle quitte son domicile, marche en tremblant dans une rue achalandée, entre dans un supermarché et attend à la caisse pendant un long moment, en proie à une grande terreur et craignant perdre connaissance. Il fut demandé à un malade souffrant d'anxiété des examens de ressentir et d'expérimenter délibérément sa peur sans essayer de la fuir. Il s'agissait d'un étudiant qui présentait des crises de panique quarante-huit heures avant les examens; il avait d'ailleurs échoué un examen à cause de ce problème. L'étudiant dut s'asseoir sur son lit et essaya de ressentir sa peur; il devait imaginer toutes les conséquences de son échec: dérision de ses collègues, désappointement de sa famille et perte financière. Au début, il pleura beaucoup, mais il suivit les instructions; peu après, ses tremblements cessèrent. Comme il devait s'efforcer de maintenir les images mentales, son émotion commença à diminuer et il se calma en moins d'une demi-heure. On lui demanda de vivre ses peurs à répétition. Chaque fois qu'il se sentait un peu tendu, il ne devait pas éviter sa nervosité, mais devait plutôt l'augmenter et essayer de la vivre le plus intensément possible. Ce garçon intelligent pratiqua régulièrement ses exercices; il devint presque à l'abri de toute terreur et passa ses examens sans difficulté.

Une variante de l'immersion s'appelle « l'intention paradoxale ». Citons l'exemple d'un homme qui avait peur de mourir d'une attaque cardiaque; le thérapeute lui demanda d'essayer d'accélérer son rythme cardiaque le plus possible et de mourir d'une crise cardiaque devant lui. Le malade répliqua en souriant: « Docteur, j'essaie, mais je ne peux y arriver. » Le sujet dut répéter cet exercice chaque fois que son anxiété anticipatoire le troublait. Il se mit à rire de ses symptômes névrotiques; l'humour aida donc à mettre une distance entre le malade et sa névrose. Le patient essaya ainsi de mourir au moins trois fois par jour; plutôt que de tenter de s'endormir, il devait rester éveillé. Dès qu'il commença à rire de ses symptômes et qu'il accepta de les provoquer intentionnellement, il changea d'attitude envers sa peur et s'améliora.

Au cours de l'immersion en pratique ou in vivo, le malade est exposé à la situation phobique dans la réalité. Une ménagère agoraphobe devait entrer dans de grands magasins, y demeurer pendant plusieurs heures jusqu'à la disparition de son désir de fuir et revenir faire rapport à son thérapeute.

L'immersion en imagination peut précéder l'immersion en pratique. Citons le cas d'une malade phobique des chats depuis son enfance; elle les évitait à tout prix et nécessitait l'aide d'une amie pour l'accompagner dans les rues. Après une séance en ima-

gination de deux heures où elle pensait à des chats qui la grif-
faient, elle voulut faire face à de vrais chats. Le thérapeute amena
un chat noir et le tint sur une table à environ six pieds de la malade; lorsqu'elle regarda le chat, son rythme cardiaque s'accéléra
et elle se sentit très nerveuse, mais cette anxiété diminua fortement après cinq minutes. Par après, le thérapeute approcha graduellement l'animal près de la malade; le changement de position
du chat occasionna une augmentation de son rythme cardiaque
et de son anxiété pendant une courte période. La patiente fut alors
rassurée et encouragée à continuer d'observer le chat. Après
quinze minutes, elle touchait le félin et plus tard, elle le caressa
et le tint sur ses genoux. Des félicitations encourageaient chaque
étape réussie. L'hésitation de la malade incitait le thérapeute à
lui montrer à toucher l'animal en le faisant lui-même en premier
lieu; cette technique s'appelle l'apprentissage par imitation. La
malade passa les quinze dernières minutes de cette séance de
deux heures à flatter le chat sur ses genoux, sans aucune anxiété.
Après le traitement, cette femme était capable de prendre normalement des chats et sa vie n'était plus restreinte par sa peur.

Ces malades peuvent vaincre si rapidement leur peur qu'il
leur faut parfois un certain temps pour réaliser leur amélioration.
Une malade observant sans anxiété des araignées en mouvement
sur sa main pour la première fois de sa vie rapporta qu'elle ne
pouvait pas le croire; il lui fallut quelques semaines pour accepter l'idée de sa capacité d'affronter des araignées sans problème.

L'exposition prolongée à la situation phobique est une thérapie plus rapide que l'immersion en fantaisie bien qu'il soit parfois nécessaire d'utiliser d'abord cette dernière technique. L'efficacité accrue des séances continues d'une durée de deux heures
comparativement à plusieurs petites périodes successives est
maintenant confirmée. Des malades atteints de phobies spécifiques peuvent perdre leur peur à la suite de trois après-midi de
traitement alors que les agoraphobes requièrent un traitement
beaucoup plus long. Au cours des premières phases du traitement, les malades présentent habituellement une anxiété marquée, mais celle-ci diminue et s'éteint à mesure que le traitement
progresse. Avant le début du traitement, le malade doit bien comprendre les exigences de ce type de thérapie et il doit accepter de
ne pas éviter la situation créatrice d'anxiété car toute fuite au
cours du traitement peut aggraver les phobies. La coopération du
malade demeure donc essentielle; chez les patients moins co-
opératifs, il est préférable d'utiliser des techniques thérapeuti-

ques plus lentes, comme la désensibilisation. Cette dernière s'avère également utile lorsque l'anxiété peut aggraver le cas de certains malades atteints de maladies physiques: par exemple, les asthmatiques ou les cardiaques.

L'amélioration à la suite du traitement se vérifie chez cette femme de vingt ans qui avait une peur des chiens depuis au moins l'âge de quatre ans. Elle traversait les rues pour éviter les chiens, ne visitait pas ses amis qui possédaient un chien et sa peur l'empêchait même d'exercer son métier de peintre. Deux séances de deux heures chacune suffirent pour la traiter. Au cours de la première séance, la malade prit graduellement contact avec un petit chien; le thérapeute flattait et jouait avec l'animal et encourageait la jeune femme à l'imiter. Au début, la patiente était terrifiée; elle pleurait et se reculait, mais lentement sa confiance s'accrut au cours de la séance. Après quelques minutes, elle toucha la croupe du chien pour la première fois et dit: « C'est tellement laid et terrible, le chien m'apparaît comme une immense figure. » Avec le temps cependant, les peurs diminuèrent progressivement et elle cessa de pleurer; elle commença à toucher l'animal et rapporta ne pas savoir pourquoi elle avait toujours cru que les chiens étaient laids. Son attitude changea en quelques heures. A la seconde séance, un plus gros chien lui fut amené et le même manège fut répété. A la fin de quatre heures de traitement, sa peur des chiens avait disparu. Au cours de la postcure, elle visita des amis qui avaient des chiens et joua avec eux; elle n'évitait plus les chiens dans la rue même si elle demeurait encore un peu méfiante envers les bergers allemands. Cette nouvelle confiance l'aida dans d'autres domaines où elle éprouvait de légères difficultés, comme par exemple dans ses relations avec ses parents. Elle s'affirma davantage et améliora ainsi ses relations avec sa famille. Six mois après le traitement, cette jeune femme présenta une complication inhabituelle. A ce moment, un journal avait fait beaucoup de publicité à propos d'un incident survenu dans un restaurant de Hong Kong où un couple y avait amené leur chien. Le couple demanda au garçon de table qui parlait très peu l'anglais de donner à manger à l'animal. Ce dernier disparut à la cuisine avec le chien. Le repas prit beaucoup de temps à être servi et le couple commença à se plaindre du service. Eventuellement, le garçon apparut avec un grand plat qu'il disposa sur la table; le caniche avait été cuit de façon experte. L'horreur de ce couple peut facilement s'imaginer. Lorsque la malade entendit cette histoire, elle fut bouleversée et devint préoccupée par des visions de chiens tués et préparés en repas; elle demanda alors une nouvelle entrevue. Pour l'aider, je lui ai demandé de s'imaginer en train de manger du chien: « Essayez de manger un petit morceau de la jambe d'abord. » Elle hésita et dit: « Je me sens malade », mais j'ai persisté « Imaginez que vous prenez un couteau et une fourchette dans votre main, que vous coupez une petite tranche de viande et que vous la mâchez. » Elle suivit mes instructions, mastiqua un peu et s'apprêta à vomir. A ma demande et toujours en imagination, elle avala la viande en accompagnant cette scène de mouvements de déglutition. En moins de vingt minutes, elle avait pour ainsi dire mangé le chien au complet et elle souriait de soulagement. Ses visions disparurent complètement par après. Un an plus tard, elle m'écrivit disant qu'elle était très bien, qu'elle s'était mariée et qu'elle avait donné naissance à un enfant.

Nous pouvons faire beaucoup pour des gens capables de suivre de simples conseils, de s'exposer quotidiennement à une situation difficile et d'enregistrer leur comportement dans un agenda que le médecin examine à chaque visite. Les buts à atteindre se font de plus en plus difficiles à mesure que la confiance renaît. Les malades doivent définir des buts précis et tenter de les atteindre au cours de la semaine. Un agoraphobe incapable de se rendre au travail à cause de sa peur du métro peut d'abord s'exercer simplement à se rendre à la station de métro pendant quelques jours et à enregistrer ses réactions; il doit également augmenter chaque jour son temps d'exposition à cette situation. Le thérapeute peut alors lui demander d'entrer dans la station et d'acheter un billet à plusieurs reprises pour finalement descendre et attendre le train. Par la suite, le sujet peut s'exercer à entrer et à sortir immédiatement du train avant son départ, puis demeurer dans le wagon jusqu'à l'arrêt suivant pour enfin arriver à parcourir des distances sans cesse grandissantes.

Les parents peuvent aider énormément dans ces programmes de réentraînement en félicitant le malade pour ses progrès.

Un agoraphobe a décrit le programme qu'il s'était fixé; ces différentes étapes sont sûrement très valables pour de nombreux malades:

1) Regrouper les différentes situations phobiques en fonction de la détresse anticipée dans chaque cas particulier. Par exemple: a) déambuler dans une rue tranquille — relativement facile —, b) marcher dans une rue achalandée — difficile —,

c) voyager en autobus — très difficile —, d) faire des achats dans un centre commercial — presque impossible —.

2) Choisissez une situation facile, mettez-vous dans cette situation et efforcez-vous d'y demeurer pendant une période d'au moins une heure. Il est très important de ne pas se sauver de la situation phobique.

3) Répétez cette exposition à la situation facile; la réaction phobique devrait devenir de moins en moins déplaisante.

4) Choisissez une situation plus difficile et répétez la même façon de procéder.

5) Continuez d'agir de même dans des situations progressivement plus difficiles. Ceci devrait amener une généralisation de l'amélioration de votre état, de sorte que vous pourrez reprendre votre travail, vos activités habituelles, etc. Cette méthode est très déplaisante et provoque beaucoup de détresse, mais elle semble être le traitement le plus rapide où le malade peut s'aider lui-même. J'ai trouvé qu'elle en valait bien les efforts.

Dans leurs tentatives de maîtriser leurs problèmes, les phobiques doivent se rappeler clairement certains points. L'affrontement de la situation phobique occasionne évidemment une augmentation de la peur; cette réaction doit être prévue et sa manifestation doit inciter les malades à la ressentir le plus possible et non pas à l'étouffer ou à fuir la situation. Lorsque la peur survient, le phobique doit plutôt attendre et penser simplement à demeurer dans la situation jusqu'à ce que l'anxiété se dissipe. Cette attente peut paraître une éternité, mais la peur disparaît habituellement en moins de vingt à trente minutes et, exceptionnellement, en moins d'une heure, à la condition de demeurer dans la situation et de se concentrer sur les sensations de la peur plutôt que de se sauver. La peur peut s'intensifier si le malade s'esquive ou s'il évite de penser qu'il est dans la situation terrifiante. Dans l'attente de la diminution de l'anxiété, le sujet doit demeurer sur place et se concentrer sur la situation présente plutôt que de penser aux terribles conséquences possibles. Il peut apprendre à reconnaître et à évaluer ses peurs et son niveau d'anxiété au moyen d'une échelle de zéro à dix points (0 = complètement calme, 10 = panique); ces échelles permettent au sujet d'évaluer la diminution de l'anxiété à mesure que le temps passe. Pour arriver à un niveau d'anxiété tolérable, le malade peut faire soit des exercices de relaxation, de respiration ou de calcul mental ou encore résoudre des énigmes ou dire son chapelet. Il apprendra ainsi à réduire son anxiété sans espérer cependant une élimination totale de la peur; il doit somme toute arriver à exercer des activités normales même s'il est un peu effrayé.

Certaines tactiques permettent d'aborder les symptômes spécifiques. Ainsi, une personne qui avale difficilement des aliments solides à cause de son anxiété peut commencer par mastiquer un biscuit sec. L'idée est de mâcher le biscuit tant et plus, sans l'avaler, jusqu'à ce qu'il soit très mou et humide; à ce moment, il sera automatiquement avalé. Le malade n'a donc qu'à mastiquer et à la longue la déglutition se fera par elle-même. Le même principe s'applique chez les gens qui sont incapables de prendre leur souffle ou de respirer profondément. Il faut alors essayer de retenir sa respiration aussi longtemps que possible; après un certain temps, le sujet ne peut plus se contenir et est forcé de respirer profondément.

A l'autre extrême, se retrouve l'hyperventilation chez les gens qui prennent de trop grandes respirations. Ce phénomène provoque une diminution du gas carbonique dans le sang, des engourdissements, des picotements et des contractions douloureuses des muscles. Par chance, le remède est simple: le malade continue à respirer profondément, mais il tient simplement un sac de papier sur sa bouche; de cette façon, il inspire à nouveau le monozyde de carbone qu'il a expiré et l'hyperventilation cesse.

Disons enfin un mot sur un traitement un peu spécial de l'insomnie. Nombreux sont ceux qui s'inquiètent de leur manque de sommeil. Cette inquiétude augmente leur anxiété et aggrave l'insomnie. Une solution consiste à adopter le comportement tout à fait opposé, c'est-à-dire de rester éveillé le plus longtemps possible en se rappelant les événements de la journée, en faisant du calcul mental, en lisant des livres, etc. Tout comme lorsque nous retenons notre respiration, l'organisme prendra le contrôle. Tôt ou tard, les paupières tombent, et le sommeil s'ensuit même si le sujet tente de rester éveillé.

Nous ne pouvons pas abolir la peur, mais nous pouvons apprendre à vivre avec elle comme avec nos autres émotions. Nous avons à y faire face, à l'admettre et à la rendre acceptable car nous ne pouvons fuir nos sentiments. Il n'y a aucune raison d'avoir peur d'une accélération de son rythme cardiaque ou de pleurer. Après tout, ces symptômes surviennent également lors d'une grande joie et personne ne se sauve lorsqu'il pleure ou tremble de joie. Il n'y a donc pas lieu de craindre nos sensations corporelles. D'intenses paniques apparaîtront nécessairement, mais elles s'effaceront avec le temps si nous nous habituons à les tolérer au lieu de les fuir. Nous avons besoin de nous abandonner au symptôme comme on s'abandonne à la vague jusqu'à ce que la tempête soit passée. De cette façon, les expériences terrifiantes s'épuiseront d'elles-mêmes malgré les inévitables revers. En effet, le malade doit s'attendre à des rechutes; il doit les affronter et ne pas s'étonner des étranges symptômes d'origine nerveuse qu'il éprouve. Il ne sert à rien de se sentir confiant le samedi et d'être démoli le dimanche à la suite d'une panique subite. Nous devons être prêts à braver chaque attaque pour atteindre le stade décrit par un malade après le traitement: « Oui, j'ai encore des paniques de temps en temps, mais c'est différent; vous savez, maintenant je ne les évite pas. Je les ressens et les laisse passer tout en continuant à accomplir ce que je fais à ce moment. » La guérison réside donc justement là où nous avons peur.

Une façon d'apprendre à ne pas se dérober aux problèmes consiste à penser à plusieurs reprises aux conséquences les plus horribles. Une personne qui a peur de devenir folle sur la rue doit donc s'imaginer en train de crier, l'écume à la bouche, en train aussi de perdre ses urines et de devenir complètement dingue jusqu'à ce qu'elle puisse penser à cette situation sans aucune anxiété et même la trouver ennuyante. Un malade qui a peur de se jeter à bas d'un précipice devrait s'asseoir à une bonne distance du gouffre et s'imaginer qu'il tombe tant et plus jusqu'à ce qu'il s'habitue à cette idée; à ce stade, la phobie perdra tout son pouvoir. Enfin, le sujet qui se sent emprisonné dans un embouteillage devrait arrêter sa voiture en bordure de la rue, s'imaginer en train d'être écrasé ou de suffoquer et continuer sa route seulement après avoir trouvé cette idée ridicule.

Un court poème résume l'attitude générale requise d'une personne anxieuse:

« Qu'écrira-t-on sur mon épitaphe? »
« Elle ne pouvait pas essayer, par crainte de mourir
« Elle n'a jamais essayé et elle est morte. »

ou

« Elle ne pouvait pas essayer, par crainte de mourir
« Mais quand elle essaya, ses craintes sont mortes. »

Thérapie de groupe par exposition prolongée

Des chercheurs découvrirent récemment que les agoraphobes pouvaient être traités en groupe. Pour faire une expérience, les malades se rencontrèrent d'abord en vue de discuter des moyens utiles pour vaincre leurs peurs; par la suite, ils se rendirent dans les endroits — qui constituaient — pour eux des situations terrifiantes, mais accompagnés des thérapeutes. Une fois habitués à faire face à la situation en groupe, les thérapeutes les envoyèrent individuellement vers des situations différentes et les malades se communiquèrent leurs progrès. Dans ce cadre, les phobiques se réconfortaient les uns les autres, et cet encouragement les motiva à maintenir leurs efforts pour maîtriser leurs émotions dans les situations anxiogènes. L'expérience de groupe donna également aux malades timides la chance d'apprendre de nouveaux comportements sociaux et de maîtriser leur peur des gens. Honteux de leur handicap, plusieurs ne parlaient jamais de leurs problèmes avant le traitement, se trouvaient ridicules, évitaient de manger au restaurant, ne pouvaient regarder les gens dans les autobus et le métro ou étaient incapables de demander des renseignements à des étrangers; ils durent faire face à ces difficultés en cours de traitement et réussirent à vaincre leurs problèmes à la fin de la thérapie. La majorité apprirent à parler aux étrangers lorsqu'ils étaient anxieux. Une malade phobique des ascenseurs en était à son troisième voyage de haut en bas d'un édifice lorsque le liftier lui demanda pourquoi elle faisait cela. Elle lui raconta timidement son problème. Il sympathisa avec elle et lui raconta immédiatement sa phobie des avions. Cet échange amena par la suite la malade à parler à d'autres personnes lorsqu'elle se sentait effrayée. Une phobique du métro fut saisie de panique à l'arrêt du train dans un tunnel. Elle rapporta ses symptômes à un voisin qui lui répondit aimablement et qui commença à lui parler de ses propres problèmes. La malade se calma et, par la suite, à chaque fois qu'elle prenait le métro, elle cherchait des gens à qui elle pensait pouvoir parler en cas de panique et s'assoyait près d'eux dans le wagon.

Une malade atteinte de phobie sociale fut prise de panique dans une boutique et commença à parler à la vendeuse qui lui donnait de la monnaie; celle-ci lui dit poliment qu'elle devrait consulter un psychiatre. La malade quitta la boutique en tremblant, honteuse et fâchée contre le thérapeute; ce dernier la persuada d'y retourner immédiatement et de dire à la vendeuse qu'elle venait justement de voir son psychiatre et qu'il lui avait dit de retourner dans le magasin. Elle suivit les instructions et, vingt minutes plus tard, elle revint après une longue conversation avec la vendeuse qui lui avait confié qu'elle détestait parler avec les clients à cause de sa grande timidité; elle invita la malade à revenir souvent pour apprendre à parler avec les clients.

Le phobique a habituellement plus de facilité à entrer dans les situations angoissantes accompagné d'une personne qui le rassure. Les agoraphobes ont certains trucs qui augmentent leur confiance, comme pousser un carosse, une voiturette ou marcher avec un chien en laisse. Ils préfèrent souvent faire des exercices le soir plutôt que le jour, à un moment où il n'y a pas de foule. Pour les pratiques en autobus ou en train, il est préférable d'éviter, au début, les heures de pointe et de choisir des autobus qui s'arrêtent fréquemment; de telle sorte que le malade se sent libre de sortir s'il le désire. Au cinéma, au théâtre ou à l'église, le phobique se sent plus calme s'il s'asseoit d'abord près de l'allée ou de la sortie; avec le temps, il s'habitue à cette situation et peut se permettre de s'asseoir plus au centre d'où il est moins facile de fuir rapidement. Il est plus aisé pour certains malades de sortir sous la pluie, en portant des lunettes de soleil, en mâchant de la gomme ou en suçant des bonbons. La plupart des agoraphobes se sentent plus en sécurité en automobile; lorsqu'ils conduisent eux-mêmes, ils peuvent facilement augmenter leurs activités et leur confiance.

Le téléphone s'avère également utile. Des femmes, souffrant d'agoraphobie sévère, sont incapables de demeurer seules à la maison et certains maris ont été forcés de quitter leur emploi pour tenir compagnie à leur épouse. Ces malades se sentent davantage en sécurité lorsqu'elles sont à portée du téléphone, pour appeler en cas de besoin et garder des contacts avec des amis et des parents; elles se sentent ainsi moins isolées. Ces mêmes malades ont souvent peur des hauteurs; ils préfèrent, pour cette raison, demeurer au rez-de-chaussée d'un immeuble. Plus leur domicile est proche des boutiques, des amis et des parents, plus la vie leur est facile. Ils peuvent avoir besoin d'aide pour conduire les enfants à l'école ou se rendre et revenir de leur travail. Un malade peut être capable de se rendre à son emploi à pied ou en prenant l'autobus pour un court trajet et en être totalement incapable s'il doit traverser une rue achalandée ou prendre plusieurs autobus. Il peut préférer travailler dans une pièce tranquille avec quelques collègues plutôt que faire un travail à la chaîne qui requiert un autre genre d'efficacité. Dans un programme de traitement, il est sage de commencer par les activités qui aideront le malade à reprendre son travail habituel et sa réintégration sociale.

Les cauchemars sont parfois l'expression de peurs chroniques et peuvent également disparaître par exposition aux stimuli angoissants. Par exemple, une jeune femme de dix-neuf ans faisait des cauchemars depuis quatre ans. Dans tous ses mauvais rêves, la peur de tomber en bas d'un pont revenait car elle avait une phobie des ponts depuis sa tendre enfance; elle avait également peur des hauteurs. Elle vainquit sa peur des ponts après sept séances de désensibilisation en imagination et, au cours du traitement, ses cauchemars disparurent. A la fin de la thérapie, elle rapporta deux rêves en rapport avec les ponts, mais ceux-ci avaient été très plaisants. Elle était toujours bien, six mois plus tard.

Les efforts personnels suffisent souvent sans l'intervention d'experts, comme les médecins, les psychologues ou les infirmières. Plusieurs personnes ont découvert par elles-mêmes le principe de l'exposition aux situations angoissantes jusqu'à ce qu'elles se sentent mieux. Cette découverte fortuite peut arriver lorsque certains changements dans leur vie les poussent à agir. Une agoraphobe trouva un jour ce moyen: « Mon mari arriva en trombe à la maison et me dit qu'il avait trouvé l'endroit idéal, une jolie boutique pour moi; on y retrouve un bureau de poste, mais il y a seulement une chose, c'est dans un espace très ouvert. Je lui ai dit que j'essaierais et que j'irais parce qu'il n'y avait rien de mieux. Lorsque nous sommes arrivés dans la boutique, j'ai fait une liste de tout ce que je voulais faire et je me mis à rayer chaque prouesse à mesure que je l'avais réussie. Quand j'y suis allée pour la première fois, je ne pouvais pas traverser le parc mais maintenant, je peux m'y promener tout à fait à l'aise. J'ai donc rayé cet ennui. Je peux faire de longues promenades avec le chien. Je peux aller en automobile. Je parlai à nouveau avec mon mari et il m'a dit qu'il m'inscrirait à une école de conduite automobile. Pour moi, ce fut la panique à nouveau. Je me sentais totalement incapable de m'y rendre, mais il m'inscrivit quand même et les trois premières leçons ont été terribles. J'étais si tendue d'être loin de la maison, avec une personne étrangère et dans un village éloigné, que je ne pouvais pas me concentrer sur la conduite; l'instructeur m'encouragea et me dit de ne pas m'en faire. La première fois, il me fit faire de petits tours et j'augmentai graduellement. Nous avons par la suite fait un mille, deux milles, trois milles, et maintenant je peux faire quarante milles sans aucun problème. Je suis sûre que je peux encore aller plus loin. »

Une jeune mère qui avait un rituel compulsif pour laver les couches de son bébé fut traitée pour ainsi dire par accident. Lorsque sa fille fut assaillie sexuellement, elle dut laisser le nourrisson sans surveillance à la maison à cause de l'urgence de la situation. A son retour, elle remarqua que le bébé avait uriné sur le tapis, mais elle était tellement énervée qu'elle n'entreprit pas son habituel rite de nettoyage. Peu après, elle devint à nouveau incapable de nettoyer sans avoir recours à ses vieilles habitudes, mais un second événement l'obligea à être en contact avec de l'urine. Par la suite, elle se rendit compte que ses idées et ses rites compulsifs avaient diminué à un point tel qu'elle nous appela pour faire rayer son nom de la liste d'attente.

Les malades qui se sentent bien lorsqu'ils se reposent à la maison peuvent réussir à maîtriser eux-mêmes leurs peurs par des efforts répétés. Une dame rapporte: « Pendant trois ans, j'ai été incapable de prendre le train seule. J'ai cru qu'il était essentiel de réussir, pour ma propre estime. J'arrangeai donc soigneusement un voyage allant d'un endroit que j'estimais sûr à un autre; avant de partir, j'étais très effrayée et j'ai voyagé comme si j'étais sous une anesthésie légère. Je ne peux pas dire que j'ai alors vaincu mes peurs, mais j'ai réalisé que je pouvais accomplir ce que j'avais été incapable de faire dans le passé. Après cela, j'ai commencé à apprendre à conduire l'automobile. J'ai passé le test d'aptitude sans difficulté... Attendre dans des embouteillages provoquait la panique au début, mais je ne me sauvais pas. Comme d'autres, j'ai mes propres méthodes. L'essentiel est de connaître des endroits et des gens sûrs. Le diamètre de sécurité à partir de ces endroits s'étend de plus en plus. Je suis encore claustrophobe, ce qui élimine le métro; j'emploie plutôt l'autobus. Il m'est difficile de rencontrer des amis d'enfance et des parents de même que de visiter des endroits où j'ai travaillé et demeuré alors que j'étais très malade. J'ai cependant appris à faire de petites visites, ce qui me donne une sensation de réussite, et je tente même des visites plus longues lorsque je me sens prête. Les gens et les endroits me semblent revenir de plus en plus à leurs dimensions normales. La dépression se manifeste encore une semaine avant mes menstruations, mais je sais me rappeler que la vie sera différente lorsque mes règles commenceront... De plus, j'admets maintenant mon anxiété alors qu'avant je cachais mon problème; d'ailleurs, la plupart des peurs sont communes. Quand j'ai peur de rencontrer des gens à l'extérieur, je les invite plutôt à la maison, ou je les rencontre dans un restaurant qui m'est familier... Les étrangers peuvent aussi être plus utiles qu'ils ne le croient; j'ai utilisé ce truc délibérément. Un joyeux chauffeur d'autobus et une gentille vendeuse peuvent m'aider à calmer une panique imminente et à ramener le monde à ses dimensions normales. Si j'ai quelque chose de difficile à exécuter, faire un petit voyage, m'asseoir sous un séchoir chez la coiffeuse ou faire un discours, je sais que je serai auparavant déprimée et effrayée. Entre-temps, j'évite de me surmener. Lorsque le moment arrive, je m'encourage en me rappelant mes victoires passées; je me dis que je peux mourir à un moment et que cela ne sera pas aussi effrayant que je le crois. L'expérience actuelle n'est pas aussi sévère qu'un trac important et pourtant, si quelqu'un me voit dans les coulisses, je titube. De façon étonnante, personne ne semble le remarquer... Je n'ose pas accepter ma maladie parce que la peur ne s'arrête jamais. Mes dispositifs de sécurité se déforment et deviennent eux-mêmes des symptômes. A mesure que j'avance, je dois donc abandonner les trucs que j'ai trouvés, car les habitudes de tromper la peur ou d'éviter les occasions qui la provoquent peuvent devenir aussi paralysantes que la peur elle-même. »

Les clubs de malades

Différentes victimes aiment joindre des groupes de personnes souffrant de problèmes similaires aux leurs; de cette façon, elles peuvent partager des expériences communes, apprendre des trucs utiles et acquérir des débouchés additionnels au point de vue social. Plusieurs clubs de phobiques existent dans différentes parties du monde. Certains malades croient que leurs peurs s'intensifieront s'ils entendent d'autres phobiques parler de leurs problèmes, mais en général ceci ne survient pas. La participation à une association de phobiques peut aider fortement. Des groupes très valables comme « The Open Door » en Angleterre envoient régulièrement un bulletin de nouvelles et ont plusieurs branches locales. Les agoraphobes peuvent se rencontrer pour sortir, conduire les enfants à l'école, organiser des programmes de réentraînement et participer à plusieurs autres activités.

Les méthodes d'abréaction

Les diverses techniques d'abréaction permettent au sujet d'exprimer ses sentiments avec beaucoup d'émotion; après cette expérience, le malade ressent un fort soulagement. Plusieurs cérémonies religieuses possèdent certains points en commun avec les méthodes abréactives; nous n'avons qu'à penser aux séances de Vaudou. La confession dans certaines religions est une autre méthode utile pour aider les gens à parler de leurs problèmes et de leur anxiété. Certains médecins croient à l'utilité de certains médicaments administrés par voie intraveineuse pour aider les gens à parler, mais ceci n'est pas toujours nécessaire. Dans la méthode connue sous le nom « d'anxiété induite », le malade est d'abord relaxé; il doit tourner son attention à l'intérieur de lui-même, oublier tout ce qui est à l'extérieur et capter la moindre émotion qui commence à grandir. Le thérapeute donne continuellement des suggestions pour que les émotions s'amplifient. Il s'asseoit près du divan où est étendu le malade et pose une main sur son poignet et une autre sur son bras; il peut ainsi vérifier l'apparition de la tension chez le sujet. Lorsque le malade contracte ses muscles le thérapeute lui dit: « Très bien, laissez aller » et ainsi de suite. Graduellement, une émotion intense se développe avec la tension musculaire, la respiration devient rapide et des pleurs peuvent survenir de même qu'une colère intense, de la peur ou des rires. Le malade se souviendra d'événements passés associés à cette émotion et il sera encouragé à parler sur ce sujet. Cette méthode aide parfois à soulager certaines peurs et l'anxiété. Une autre forme d'abréaction qui est devenue récemment populaire en Californie est « La thérapie par le cri primal » où la personne est encouragée à soulager sa tension en criant. En temps de guerre, des soldats qui pouvaient décrire leur horrible expérience ressentaient souvent un grand soulagement. Enfin, l'hypnose aide à rappeler certaines expériences. Il faut toutefois se souvenir que les traitements par abréaction ont des effets très incertains même si les résultats impressionnent à l'occasion.

L'immunisation contre le stress: l'apprentissage à faire face aux situations angoissantes

Les vaccins produisent l'immunité contre l'infection en exposant l'individu à une certaine quantité de virus; ce procédé stimule les mécanismes de défense de l'organisme et empêche les virus de prendre le dessus. Certains chercheurs suggèrent le même principe pour aider les gens à résister au stress. Des expériences montrent que l'inoculation contre le stress est une possibilité réelle: des individus peuvent être protégés contre le stress émotionnel en expérimentant des situations angoissantes, mais non extrêmes. La formulation de base est celle-ci: « Voici un poil du chien qui pourrait vous mordre demain. » A titre d'exemple, des enfants ont été préparés à faire face à un examen dentaire en leur donnant la chance de jouer avec la chaise du dentiste, de s'amuser avec l'appareillage et de passer un examen dentaire simulé. Lorsqu'ils eurent à recevoir un traitement, ces enfants montrèrent beaucoup moins de peur que ceux qui ignoraient complètement cette situation. Nous pouvons également préparer des adultes à faire face à des situations angoissantes et les aider à réduire leur douleur lorsque le traumatisme survient. Des opérés guérissent plus rapidement et avec moins de malaise et de douleurs quand ils reçoivent des explications et qu'on les rassure avec l'intervention que les malades qui ne sont pas préparés de cette façon.

Dans une étude faite par un psychologue américain, Lazarus, les sujets de l'expérience visionnèrent un film macabre sur la circoncision dans une tribu australienne au cours d'un rite d'initiation à la puberté: des garçons étaient attachés sur un bloc de pierre et, sans aucune anesthésie, ils subissaient l'excision de leur pénis. En regardant le film, certains sujets entendirent l'enregistrement d'une description de l'opération faite sur un ton détaché; le narrateur mentionnait que ce rituel n'était pas douloureux ou dangereux, mais qu'au contraire il était désiré par les garçons qui le voyaient comme une condition essentielle pour atteindre la maturité. Les sujets qui avaient écouté l'enregistrement furent moins troublés que ceux qui avaient vu une version silencieuse du même film, ou qui avaient entendu un enregistrement décrivant le processus comme très douloureux. Notre état mental nous influence donc dans notre perception du danger. Certains malades ont été aidés avant une opération simplement en entendant dire que l'anxiété était normale à ce stade, mais qu'elle était contrôlable et qu'ils devaient s'exercer à penser aux aspects positifs découlant de l'opération.

Meichenbaum, un psychologue canadien, a développé un programme d'immunisation contre le stress chez des étudiants. Il leur enseigne à reconnaître les signes de la peur, comme l'accélération du rythme cardiaque, la sudation des mains et la tension musculaire. Quand ils reconnaissent bien ces signes, il leur apprend à les contrôler. Par la suite, ils s'habituent à devenir conscients de tout ce qu'ils se disent ou pensent en eux-mêmes; cette méthode permet de changer l'état d'esprit dans une situation difficile.

Nous nous disons tous intérieurement des choses lorsque nous avons des inquiétudes; nous n'en sommes pas vraiment conscients, jusqu'au moment où nous nous arrêtons sur nos pensées intérieures. Si nous sommes anxieux de donner un court entretien devant un auditoire important, nous pouvons intérieurement nous dire les phrases suivantes lorsque quelques personnes quittent la salle: « Je dois être ennuyant. Personne n'est intéressé à ce que je dis. Je savais que je ne pourrais pas faire un discours. Je fais mieux d'arrêter bientôt. » Cette réaction augmente notre anxiété jusqu'à ce que la peur nous paralyse complètement. Si nous avons une meilleure confiance en soi, nous pouvons nous dire: « Je suppose qu'ils ont un autre rendez-vous. Il est malheureux qu'ils doivent manquer ma présentation » ou « Quelle bande de voyous! »

Le test d'aptitude à conduire une automobile peut également servir d'exemple. Une personne soucieuse peut jeter un regard à l'examinateur et penser: « Pourquoi fronce-t-il les sourcils? Est-ce que je fais un fou de moi? Je sais que je suis un très mauvais conducteur. » Un individu beaucoup plus confiant se dira: « Je suppose qu'il fronce les sourcils parce qu'il a eu un argument avec sa femme avant d'arriver au travail aujourd'hui. Je devrai être prudent pour lui montrer que je peux passer le test. Je ne suis peut-être pas un conducteur expérimenté, mais je suis assez bon pour passer le test et je dois le convaincre que je peux le faire. »

Dans chacun de ces exemples, le même événement est vu différemment selon que les gens sont anxieux ou confiants; leur état d'esprit se reflète très bien dans ce qu'ils disent ou pensent. Une partie de l'immunisation contre le stress consiste à enseigner à des gens comment ils doivent se parler intérieurement. Ainsi, une agoraphobe qui laisse son domicile doit se dire: « Une chose à la fois, relaxe; je peux vraiment le faire si j'essaie suffisamment. Mes vertiges et mes palpitations surviennent comme je l'avais prévu. Je dois coter ma peur de zéro à dix et surveiller le changement. Ça y est, je respire rapidement; c'est un signe que je dois employer mes techniques pour vaincre ma difficulté. Voyons, j'essaierai de respirer lentement, inspiration, expiration, inspiration, expiration... Ça va un peu mieux, j'y arriverai. »

Les pensées harassantes deviennent tellement ancrées que nous n'en prenons même plus conscience; nous devons apprendre à reconnaître que ce que nous nous disons intérieurement est habituellement: « Mon Dieu, je suis en train d'avoir une attaque cardiaque » ou « Je suis sûr que je perdrai le contrôle, je suis en train de devenir fou. » Nous aggravons notre condition par de tels arguments; il nous faut donc modifier ce que nous nous disons ou ce que nous pensons en nous-mêmes. Le thérapeute qui enseigne l'inoculation contre le stress pourrait dire: « Nous allons travailler et chercher des moyens pour contrôler vos sentiments, votre anxiété et votre tension. Nous vous apprendrons à vous relaxer et à contrôler votre pensée et votre attention. Le contrôle de notre pensée survient si nous prenons d'abord conscience des choses négatives que nous nous disons intérieurement. Reconnaître ce fait constitue déjà une étape vers le changement. Lorsque nous réalisons ce que nous nous disons, ce phénomène peut nous servir de signal d'alarme pour provoquer des pensées et des façons d'agir différentes. Par cette technique, nous pouvons apprendre à faire des choses avec plus de confiance et nous comporter plus adéquatement. »

La plupart des gens développent leurs propres moyens pour faire face au stress, comme les visites chez le dentiste ou passer un examen. Nous devons donc employer ces méthodes de façon plus systématique. Après avoir appris de nouvelles auto-instructions, une phobique rapporta: « Cette technique me permet de me mettre dans la situation angoissante sans y être confortable, mais en étant capable de la tolérer... Je me parle à moi-même contre ma peur et, de cette façon, je réagis immédiatement à l'objet ou à la situation phobique et je commence à me raisonner. Je peux ainsi me sortir facilement de ma panique. »

Une autre jeune femme, phobique des serpents, devait maîtriser sa peur en approchant un reptile. Elle commença à lui parler et lui dit: « Je vais faire un marché avec toi. Si tu ne me fais pas peur et tu ne me blesses pas, je ne t'effraierai pas et je ne te blesserai pas. » Et elle alla directement toucher le serpent. D'autres personnes atteintes de pensées indésirables les surmontent en se disant: « Que le diable les emporte! Je suis tout à fait normale. »

Nous préférons tous utiliser des méthodes taillées selon nos besoins personnels. Meichenbaum a fait une liste d'auto-affirmations que différents étudiants avaient choisies de répéter au cours de l'entraînement à l'inoculation contre le stress. Dans la première phase, c'est-à-dire la phase de préparation pour faire face à l'élément angoissant, les étudiants choisirent quelques-unes des phrases suivantes: « Qu'est-ce que tu as à faire? Essaie de faire un plan pour venir à bout de la difficulté. Penses à ce que tu peux faire à ce propos. C'est beaucoup mieux que de devenir anxieux. Ne te permets pas une seule pensée négative; pense seulement de façon rationnelle. Ne t'en fais pas, se tracasser ne sert à rien. Ce que tu penses être de l'anxiété est peut-être simplement un désir de faire face à la situation angoissante. »

Au cours de la confrontation et de la manipulation de la

situation angoissante, les énoncés peuvent inclure: « Ramasse-toi, tu peux relever ce défi. Tu peux te convaincre de le faire. Tu peux raisonner ta peur. Une étape à la fois; tu peux manipuler la situation. Ne pense pas à la peur; pense plutôt à ce que tu as à faire. Tu savais que tu ressentirais cette anxiété; c'est un signal pour pratiquer tes exercices. Cette tension peut être ton alliée, un signe pour affronter la situation. Relaxe; tu as le contrôle. Prends une grande respiration. Très bien. »

Entrée dans une situation terrifiante, une personne peut se sentir écrasée et dire alors: « Lorsque la peur survient, fais une pose. Garde un point sur le présent; qu'est-ce que tu as à faire? Cote ta peur de zéro à dix et regarde-la changer. Tu devrais t'attendre à ce que ta peur augmente. N'essaie pas de l'éliminer totalement; rends-la plutôt tolérable. »

Enfin, lorsque nous réussissons à surmonter notre peur, nous devons nous réconforter nous-mêmes en disant: « Tu as réussi; tu l'as fait. Attends que ton thérapeute, ta femme, ton mari, ta mère, ton père, ton ami, apprennent cela. Ce n'était pas aussi difficile que tu croyais. Tu as fait plus que tu ne pensais. Lorsque tu contrôles ces idées, tu contrôles tes peurs. Ça va mieux quand tu utilises ces techniques. Tu dois être content de tes progrès; tu as réussi. »

D'autres techniques de manipulation de l'anxiété qui ressemblent à cette méthode ont été décrites par le docteur Claire Weekes; elles ressemblent à l'inoculation contre le stress de Meichenbaum. Voici un exemple d'auto-instructions pour une agoraphobe qui marche dans la rue: « C'est parti. Oh, mon Dieu! Voilà madame X qui s'en vient! Que vas-tu faire? Tu avances vers elle le cœur sur le bord des lèvres. Tu sens ton cœur battre dans ta poitrine... Tes nerfs amplifient chaque contraction. Est-ce que cela change vraiment quelque chose si tu ressens ton cœur battre? Cela ne change absolument rien; ce n'est certainement pas dangereux pour ton cœur, donc ne t'en fais pas en parlant à madame X. Mais si elle m'arrête pour un bon bout de temps... Qu'est-ce que je ferai, si elle continue pendant dix minutes, une demi-heure? Tu trembles à cette pensée et tu penses que tu ne pourras pas le supporter. Je ferai une folle de moi et elle s'en apercevra! ...Relaxe-toi. Prends une respiration profonde; expire lentement et abandonne-toi complètement aux papotages de madame X. Elle arrêtera éventuellement. Maintenant, tu déambules de nouveau. Tu te sens un peu mieux. Tu as réussi! Mais tu dois traverser la rue et, au moment où tu as le plus besoin de tes jambes, elles deviennent molles comme de la guenille. Tu te sens rivée au sol et tu crois que tes jambes ne te suivront pas. Ici encore tu te dis: mes jambes en guenilles me suivront si je décide d'aller quelque part. C'est seulement une sensation et non une faiblesse musculaire réelle. Elles ne m'auront pas... Laisse-les trembler. Tu peux traverser la rue, que tes jambes tremblent ou non. Ne pense pas que tu doives te retenir pour t'empêcher de tomber à terre. Se retenir est pire que de se laisser aller. »

Pour surmonter sa peur, il faut apprendre à la suivre jusqu'à la fin. Dans l'immunisation contre le stress, cette tactique est enseignée comme une habileté calculée; c'est comme apprendre à conduire une automobile.

Le secret n'est pas seulement de se murmurer à soi-même des choses agréables. Il faut devenir conscient de tout ce qui nous tracasse, nous trouble et nous bouleverse, et élaborer à ce moment une série d'affirmations positives que nous pouvons nous dire intérieurement; bref, des règles et des stratégies que nous pouvons adopter lorsque nous sommes dans l'inquiétude. Enfin, nous devons apprendre à utiliser à répétition ces phrases dans une grande variété de situations problématiques différentes et à les pratiquer tant et plus jusqu'à ce que nous puissions les employer automatiquement à chaque fois que nous sommes effrayés ou bouleversés.

Les étudiants de Meichenbaum réussirent à apprendre ce truc après trois heures d'entraînement. Ils s'imaginaient en train de recevoir des chocs imprévisibles, de garder leurs mains dans l'eau froide pendant de longues périodes, de voir des films très bouleversants, de se trouver dans des situations très embarrassantes et ainsi de suite. Les étudiants pratiquaient alors des méthodes pour faire face à ces situations qu'ils imaginaient tant et plus. Ainsi, pour s'exercer à affronter une situation de douleur expérimentale, ils imaginèrent la scène suivante: « Vous vous portez volontaire pour une expérience sur la douleur. Vous imaginez qu'un appareil à pression est placé sur votre bras et que l'expérimentateur commence à le gonfler. Il vous demande de tolérer la douleur aussi longtemps que possible. Vous ressentirez d'abord une douleur sourde qui deviendra graduellement de plus en plus lancinante. Combien de temps serez-vous capable de la tolérer? Cinq minutes, vingt minutes, quarante minutes? Quelle technique utiliserez-vous pour endurer la douleur? Comment entraîneriez-vous quelqu'un à mieux faire face à ce type de douleur? Vous pouvez tenter de réduire la douleur en relaxant vos muscles et en prêtant attention à votre respiration, en respirant lentement et profondément. Commençons par la respiration. Essayez de ne pas dépasser quatorze respirations par minute; relâchez vos muscles en faisant cet exercice. Il ne faut pas porter attention à la douleur. Portez plutôt votre attention vers autre chose. Faites du calcul mental. Comptez à partir de cent en diminuant par sept. Quand vous aurez fait cela, vous pourrez compter le nombre de tuiles qu'il y a au plafond. Cela a pris un certain temps; maintenant regardez par la fenêtre... Cela a marché pendant un certain temps; maintenant essayez quelque chose de différent. Surveillez et analysez le changement dans votre bras et votre main. Oui, il y a une certaine douleur et c'est intéressant de constater que le bras est engourdi et qu'il semble un peu enflé. La couleur de la peau est également différente; de rosée, elle est maintenant plus blanche. »

« Une autre façon d'endurer la douleur est de manipuler votre imagination. Transformons la douleur! Vous pouvez vous imaginer étendu sur une plage, vous chauffant au soleil; vous pouvez aussi imaginer que votre bras est froid et engourdi à la suite d'une injection d'un anesthésique local. »

Ces différentes auto-instructions furent offertes aux étudiants qui devaient choisir celles qui leur plaisaient le mieux. Ils les utilisèrent lorsque la douleur devenait presque intolérable et qu'ils voulaient cesser l'expérience. Chaque sujet développa ses propres instructions et les employa dans les moments difficiles. Enfin, ils rapportèrent à leur entraîneur ce qu'ils faisaient lorsqu'ils avaient peur ou étaient effrayés.

Après ce court entraînement d'immunisation contre le stress, les étudiants réussirent à endurer l'appareil à pression deux fois plus longtemps que d'autres volontaires qui n'avaient pas été, en imagination, aussi bien préparés.

Traitements médicamenteux

Les médicaments anxiolytiques de même que les électrochocs ont été décrits dans un précédent chapitre. Ces traitements aident habituellement les personnes dont la dépression n'est pas améliorée par les drogues antidépressives. Quand l'anxiété ne fait pas partie d'un tableau dépressif, les médicaments sédatifs ou anxiolytiques peuvent procurer un certain soulagement; ils demeurent cependant une mesure palliative.

La chirurgie

Le traitement chirurgical de l'anxiété s'appelle la lobotomie en Amérique ou la leucotomie en Angleterre. Cette opération consiste à détruire une petite partie de la matière blanche du cerveau au niveau des lobes frontaux; cette destruction réduit l'anxiété. Les interventions chirurgicales pratiquées au cours des années 40 provoquaient souvent des changements indésirables de la personnalité. La mauvaise réputation de la lobotomie provient de ces déplorables expériences. Depuis ce temps, les techniques chirurgicales se sont améliorées et donnent lieu à une moins grande destruction du tissu cérébral. De nos jours, de petits morceaux d'Yttrium radioactif sont implantés dans un endroit précis du lobe frontal; une minime surface est ainsi irradiée. Récemment, d'autres régions cérébrales ont été touchées; ces traitements chirurgicaux portent différents noms, dont la cingulectomie. Ces interventions provoquent très peu de changements de la personnalité; elles s'avèrent utiles chez des malades profondément troublés, souffrant d'anxiété chronique depuis plusieurs années et lorsque toutes les autres méthodes ont échoué. Le recours à la chirurgie demeure cependant très rare parce que la plupart des malades bénéficient des autres traitements. En Angleterre, il y a actuellement moins de cent malades par année qui subissent de telles interventions.

Conclusion

L'anxiété est une caractéristique normale de la vie quotidienne qui nous aide même à fonctionner lorsqu'elle est mineure; par contre, la tension excessive peut nous miner de différentes façons. Cependant, nous pouvons soulager notre détresse par nos propres efforts; de plus, nombre d'organisations offrent de l'aide et de l'information. Lorsque ces méthodes échouent, l'accessibilité à des traitements efficaces est maintenant possible. Les médicaments allègent la dépression et soulagent temporairement l'anxiété. Les phobies, les obsessions, les compulsions et les difficultés sexuelles répondent à des traitements psychologiques qui ont été développés au cours des dernières années. De plus en plus de personnes reçoivent un entraînement pour administrer ces soins et les découvertes qui continuent de se faire offrent un nouvel espoir.

Table des matières

Achevé d'imprimer
en juin mil neuf cent quatre-vingt
sur les presses de l'Imprimerie Gagné Ltée
Louiseville - Montréal.
Imprimé au Canada